N&K

MILENA MOSER

Das Glück sieht immer anders aus

Nagel & Kimche

1 2 3 4 5 19 18 17 16 15

Herstellung: Andrea Mogwitz und Rainald Schwarz
Satz: Satz für Satz. Barbara Reischmann
Druck und Bindung: GGP Media GmbH, Pößneck
ISBN 978-3-312-00653-3
Printed in Germany

MIX
Papier aus verantwortungsvollen Quellen
FSC® C014496

Für Victor, der gar nicht vorkommt:
Love is the Answer.

Reiseleitung

Eigentlich hatte ich einen Roadtrip geplant. Seit Jahren redete ich davon. Zu meinem fünfzigsten Geburtstag würde ich drei Monate freinehmen und mit einem Mietwagen durch die Vereinigten Staaten von Amerika fahren, vollkommen allein, vollkommen plan- und ziellos, nur meiner inneren Stimme folgend, die sagen würde: Hier rechts abbiegen. Anhalten. Übernachten. Oder: Hier ist es öde – weiterfahren. Meiner inneren Stimme, die ich im Verlauf meiner langen, unglücklich beendeten Ehe verloren hatte.

On the road: Der klassische Übergangsritus für Generationen junger Männer vor und nach Jack Kerouac. Eine Auszeit auf der Straße nach dem Abschluss der Schulzeit, bevor der Ernst des Lebens beginnt. Ich würde ihn als alternde Frau antreten, zwischen Familienleben und ... ja eben: und was? Um das herauszufinden, musste ich allein reisen, denn auch die rücksichtsvollste Reisegefährtin würde mich von meinem Konzept ablenken, meine innere Stimme übertönen, die statt zu entscheiden dann verwirrt fragen würde: «Hast du Hunger? Willst du hier anhalten? Gefällt dir dieses Motel? Oder sollen wir ein anderes suchen?» Ganz auf mich allein gestellt, auf mich zurückgeworfen, würde ich mich neu kennenlernen.

Es war eine Idee, die sofort jedem gefiel, dem ich sie erzählte. Das passierte mir zum ersten Mal. Für gewöhnlich weiß ich nicht, was ich schreibe, bis es vor mir steht. Doch nun hatte ich endlich einen Plan, den ich in dreißig Sekunden formulieren und verkaufen konnte! Ich ertappte mich dabei, wie ich bei jeder Gelegenheit darüber redete, nur weil es sich so gut anfühlte, einen Plan zu haben, eine Idee, die jeder auf Anhieb verstand und spannend fand. Aber vielleicht war es zu viel. Irgendwann fühlte es sich schal an. Und je näher der Zeitpunkt der Abreise rückte, desto weniger freute ich mich darauf.

Denn in den Jahren zwischen der Idee und ihrer Durchführung hatte ich mich aus meiner Ehe befreit, ich lebte allein, ich hörte meine innere Stimme klar und deutlich. Und sie sagte: «Das Letzte, was ich jetzt will, ist tagelang allein im Auto sitzen!»

Schlechtes Timing, könnte man sagen. Manch einer hätte die Sache wohl einfach durchgezogen. Ich nicht. Es so anzugehen hätte bedeutet, dass ich genau das ignoriere, worum es geht. Wichtiger als die gute Idee war die Frage, die ihr zugrunde lag: Was will ich wirklich? Ich?

Die radikalste aller Fragen für eine Frau mit Kindern. Ich erinnerte mich an eine Szene vor fast zwanzig Jahren. Wir waren mit Freunden in Ägypten, mit den Kindern, der Jüngere war noch sehr klein und hatte Durchfall. Wir überlegten, ob wir ein paar Tage früher als geplant nach Kairo zurückkehren sollten, wo uns eine andere Freundin erwartete. Ich weiß noch, wie ich auf dem Bett saß, mutlos, erschöpft, in Tränen.

«Was willst du machen?», fragte Randa. «Sag es mir, und ich mache es möglich!»

«Für Cyril wäre es besser ... Ursula hat sich so gefreut ... Meine Mutter will nicht ... Aber Lino sagte gerade ...»

Sie schüttelte den Kopf. Dann schüttelte sie mich: «Was willst DU?», fragte sie. «Du, nur du!» Verwirrt schaute ich sie an. «Nur mich» gab es nicht. Konnte es nicht geben. Und das war auch richtig so. Das Leben mit kleinen Kindern, mit Familie und im Berufsleben ist kompliziert genug, auch ohne dass die eigene Stimme immer dazwischenplärrt: «Und ich, und ich, und ich?» Aber irgendwann braucht man sie wieder, diese Stimme. Stellt sich heraus, sie ist verkümmert, wie ein Muskel, der zu lange untätig war. Doch in diesen schwierigen letzten Jahren hatte ich sie wieder ein bisschen trainiert. Manchmal sah ich sie förmlich am Barren baumeln und sich mühsam vorwärtshangeln, wie in der Physio nach einem schweren Unfall, schmerzhaft, schwerfällig, aber zuversichtlich.

Also setzte ich mich hin und versuchte sie zu hören.

Was fehlte mir?

Nicht viel. Das Glück.

Die Umstände der Trennung hatten mich zermürbt. Mein früher unerschütterlicher Glaube an die Liebe war brüchig. Und meine Umgebung trug nicht gerade dazu bei, ihn wiederherzustellen. «So sind die Typen halt», sagen Frauen in meinem Alter gern. «Was kannst du erwarten?»

Erwarten? Alles, oder? Doch die innere Romantikerin lag schwindsüchtig und blass auf der Chaiselongue, ein Spitzentaschentuch vor den Mund gepresst. Jede Trennung im Bekanntenkreis, jeder Blind-Date-Horror, von dem ich hörte, jeder verbitterte Spruch entzog ihr mehr Kraft.

Kurz vor meiner Abreise wusste ich, dass es nur eine Rettung für die Romantikerin in mir gab: Ich musste das Glück mit eigenen Augen sehen. Kurz entschlossen legte ich meine Reiseroute so, dass mir immer wieder mal ein glückliches Paar begegnen würde. Denn die gibt es tatsächlich. Aber sie sind unauffällig, weil ihr Glück für sie alltäglich ist. Sie reden nicht darüber.

Ansonsten würde ich mich treiben lassen. Musik hören und tanzen gehen und lauter Dinge tun, die ich schon viel zu lange nicht getan hatte. Drei Wochen vor Abflug merkte ich, dass ich einen Auftrittstermin falsch eingetragen hatte. Erneut entstand die Verlockung, die ganze Sache abzublasen. Abenteuer sind anstrengend. Warum bleibe ich nicht einfach hier? Bepflanze meine Terrasse, lerne die Stadt, in der ich seit zwei Jahren lebe, besser kennen, schließe neue Freundschaften? Bade in der Aare?

Doch ich wusste, dass ich diese weißen Flecken nicht erkunden konnte, wenn ich hierblieb. Immerhin entschloss ich mich, in der Mitte die Reise zu unterbrechen und für eine Woche oder zwei in die Schweiz zurückzufliegen. Meinen fünfzigsten Geburtstag würde ich in San Francisco feiern, wo ich acht Jahre lang gelebt habe. Und zwischendurch würde ich mit dem Auto durch die Gegend fahren. In Erwartung von etwas Unbekanntem.

Ich begann mich wieder zu freuen. Mehr noch, ich legte meine ganze Hoffnung in diese Reise. Alle meine Wünsche. Ich würde den Ballast der Vergangenheit abwerfen, ich würde mich befreien! Das Glück der anderen würde auf mich abfärben. Ich würde mich unterwegs verlieben! Schon sah ich mich mit einem Blumenkranz im Haar unter einem Zitronenbaum stehen, einen Mann – jetzt noch ohne Gesicht – heiraten, warum nicht? Vielleicht würde ich gar nicht mehr zurückkehren …

Meine Phantasie brannte mit mir durch, bevor ich überhaupt am Flughafen war. Deshalb zwei Dinge gleich vorweg: Es wird sich herausstellen, dass ich gar nicht gern Auto fahre, schon gar nicht allein.

Und: Das Glück sieht immer anders aus.

I
DAS GLÜCK DER ANDEREN

Ausdruckstanz

Meine Reise beginnt in New York. Ein paar Tage verbringe ich dort, bevor ich mein erstes glückliches Paar besuche. Den Flughafen Zürich erreiche ich in letzter Minute und mit letzter Kraft. Am Gate schicke ich die letzte Kolumne ab, konzentriert über den Laptop gebeugt. Aus den Augenwinkeln registriere ich die Bewegungen der anderen Wartenden. Solange sie noch still dasitzen, denke ich, habe ich Zeit. Zeit, um zu arbeiten. Als schließlich alle aufstehen, schaue ich auf und merke, dass ich am falschen Gate sitze. Im letzten Moment erwische ich meinen Flug. Was für ein Anfang! So kann es nicht weitergehen, denke ich.

In den sieben Jahren seit unserer Rückkehr aus San Francisco habe ich mich ganz gegen meine Natur zum Workaholic entwickelt. Einmal im Jahr fliege ich für ein paar Wochen nach Amerika, immer, wie jetzt, auf den letzten Drücker, auf dem Zahnfleisch. Meine Arbeit nehme ich immer mit. Keine Kolumne fällt aus. Trotzdem erhole ich mich jeweils so weit, dass ich zurückfliegen und wieder von vorn anfangen kann. Als wir noch in Amerika lebten, hatte mein Alltag einen einfachen Rhythmus, bestimmt vom Stundenplan der Kinder. Wenn ich sie zur Schule gebracht hatte, lag der Tag vor mir. Zum Schreiben, eine Yogastunde Besuchen, Freundinnen Treffen. Einkaufen, kochen, putzen. Ein simples Leben, überschaubar. Alle ein bis zwei Jahre erschien ein neues Buch, dann flog ich für ein paar Wochen in die Schweiz und nach Deutschland für eine Lesereise. Dann zogen wir in die Schweiz, und alles wurde anders. Intellektuell verstand ich die Spirale, in die ich geraten war, nur zu gut. Aus der zunehmend unerträglichen Leere meiner Ehe flüchtete ich mich in die Arbeit. Gleichzeitig wurden die Aufträge immer spannender, immer verlockender. Wie konnte ich nein sagen? Je mehr mein Privatleben aus den Fugen geriet, desto mehr vergrub ich mich in meine Arbeit. Meine Arbeit wurde zu dem Bereich in meinem Leben, in dem ich mich noch sicher fühlte. Wenn ich schreibe, weiß ich, was ich tue. Wenn ich einen Kurs leite, weiß ich, dass ich etwas zu bieten habe, etwas weitergeben kann. Also arbeitete ich immer mehr, und erst recht nach der Trennung.

Wo einst das Familienleben für Ausgleich sorgte, sind Lücken entstanden, die ich sofort mit Arbeit füllte. Ich liebe meine Arbeit, ich wollte nie etwas anderes tun als schreiben. Aber auch davon kann man zu viel kriegen.

Im Flugzeug schreibe ich eine Liste von Dingen, die ich schon lange mal tun wollte. Ausgehen. Flirten. Im Park sitzen, die Zeitung lesen, Passanten beobachten. Kaffee trinken, mich mit Fremden unterhalten. Einfache Dinge. Alltägliche Dinge. Dinge, die ich vergessen habe. Verlernt vielleicht.

Ich bin müde. Aber ich kann mich nicht mehr entspannen, ich weiß mit meiner freien Zeit nichts mehr anzufangen. Was macht mir Spaß? Was würde ich gern tun? Also tue ich das, was ich kann: Ich schreibe es auf. Ich schreibe eine Liste.

Tanzen steht ganz oben. Ich würde so gerne tanzen, aber ich traue mich nicht. Schreckliche Erinnerungen an Tanzkurse in der Jugend. Mein Exmann war der Einzige, der sich je über meine absolute Unfähigkeit, mich führen zu lassen, hinwegsetzen konnte. In glücklichen Zeiten haben wir im Wohnzimmer getanzt, am Straßenrand, im Licht der Autoscheinwerfer. Das ist sehr lange her.

Ich bin, man kann es nicht anders sagen, ein furchtbares Gschtabi. Dieses Unwohlsein, dieses Nichtzuhausesein im eigenen Körper. Das muss sich doch auflösen lassen, denke ich. Eine Schreibschülerin erzählt mir von *5 rhythms*, einer Art Ausdruckstanz, der in New York erfunden wurde. «Da bewegt sich jeder, wie er will! Keiner beachtet dich! Du gehst in der Masse auf, du tobst dich aus!»

Das ist es, denke ich. New York ist schließlich meine erste Station. Das kann kein Zufall sein. Das ist ein Zeichen!

Als ich in New York ankomme, regnet es in Strömen. Es regnet so stark, dass der Verkehr lahmliegt. Ich kann nichts draußen unternehmen. Nicht durch den Park spazieren, im Gras sitzen, durch die Straßen schlendern, die Passanten beobachten. So hab ich mir das nicht vorgestellt. Der dichte graue Wasservorhang zieht sich vor mein Gemüt. Ein Tag vergeht, ein zweiter. Ich sitze in der Wohnung meiner Freundin Gabriele, ich schaue aus dem Fenster, ich wühle in meinem kleinen Koffer. Schöne Sachen habe ich mitgenommen, einen engen mandarinfarbenen Rock, hochhackige Sandalen, mit silbernen Nieten beschlagene Stiefel, ein altmodisches Tanzkleid. Kleider zum Tanzen, zum Flirten, zum Glücklichsein.

Als ich in der Buchhändlerlehre war, kam der Schriftsteller Jürg Federspiel in der Berufsschule zu Besuch. Er trug einen roten Wollpullover. Damals war es etwas Besonderes, dass ein Schriftsteller vorbeikam, um zu uns zu sprechen. Und da ich schon wusste, dass ich das auch sein, dass ich Schriftstellerin sein wollte, setzte ich mich in die erste Reihe und notierte mir jedes Wort. Doch er redete gar nicht über das Schreiben. Er erzählte, dass ihn in New York ein Obdachloser angebrüllt habe, als meine er ihn persönlich: «Hey, you!», brüllte er. «Yes, you: Happiness is not the goal!» Glücklichsein ist nicht das Ziel. Und das von einem Amerikaner in Amerika, wo das Recht auf das Streben nach dem eigenen Glück in der Verfassung festgeschrieben ist. Vielleicht glaube ich deshalb immer wieder, ich könne das Glück dort «drüben» finden? Weil es dort mein Recht ist, oder sogar meine Pflicht? Oder weil ich den Erfahrungswert habe: Ich war glücklich dort?

Damals in der Buchhändlerlehre verstand ich nicht, was Federspiel uns sagen wollte: Ehrlich gesagt, verstehe ich es heute noch nicht. Wenn das Glück nicht das Ziel ist, was sonst könnte es sein?

Eine wilde Ungeduld erfüllt mich. Es soll jetzt losgehen! Der Regen soll aufhören, die Wolkendecke aufreißen. Die dunklen Zeiten sind vorbei. Ich will mich verlieben, ich will Abenteuer erleben, ich will lachen! Stattdessen sitze ich in der Wohnung und steigere mich in eine Verzweiflung hinein. Ich werde nie glücklich sein, ich habe es nicht verdient, es ist nicht vorgesehen! Mein ganzes Leben ist nicht vorgesehen, es dürfte mich gar nicht geben! Diese Verzweiflung ist meine verlässlichste Begleiterin, solange ich denken kann.

Ich sehe, wie in einem Film, meine junge Mutter auf einem schmalen Hotelbett sitzen. Das Zimmer ist schäbig, die gemusterte Tapete verblasst. Zwei schmale Betten, durch die Nachttische voneinander getrennt, hellgrüne Decken. In einem Bett schläft mein Vater. Er schnarcht. Meine Mutter sitzt mit gesenktem Kopf, den Rücken gekrümmt, die Hände zwischen den Beinen. Den Arzt, den sie früher in dieser Situation schon ein- oder zweimal aufgesucht hat, gibt es nicht mehr. Ich weiß nicht, wo dieses Bild herkommt. So genau hat sie mir das nie erzählt. Aber ich weiß noch genau, wie es war, damals in diesem Hotelzimmer. Ich war nicht mehr als eine Handvoll Zellen, ich erinnere mich an ihre Verzweiflung und an meine. Ich spüre sie heute noch. Muss ich wirklich? Muss ich wirklich geboren werden?

Meine Mutter sagt, es sei das Beste gewesen, was ihr passieren konnte. Dass ich zur Welt gekommen bin. Ich möchte es ihr so gern glauben. Aber es fühlt sich nicht so an. Es hat sich nie so angefühlt. Das Gefühl, ein Fehler zu sein, sitzt tief in mir, wie das Bedürfnis, diesen Fehler ungeschehen machen zu wollen. Aber ich tue es nicht. Ich kämpfe. Ich schreibe. Wenn ich schreibe, fühle ich mich sicher. Ich folge meinem Instinkt, einem untrüglichen Gefühl. Sobald ich den Kopf vom Schreibtisch hebe, ist es weg.

Gabriele arbeitet viel, wir sehen uns selten. Ich erzähle ihr von der Tanzstunde, zu der ich mich angemeldet habe, und sehe ihr an, dass sie skeptisch ist. «Kann man sich dazu zwingen, jemand anderes zu sein?», fragt sie.

«Warum jemand anderes? Vielleicht bin ich ja in Wirklichkeit jemand, der tanzt!» Und so fühle ich mich auch, als ich die lebhaften Straßen von Soho entlanggehe, bis ich die Tanzschule gefunden habe. Ich steige die Treppe hinauf, an einer offenen Tür vorbei, kleine Mädchen an der Stange, rosa Strümpfe, Trikots. Ich denke an *Fame*. Den Film habe ich mit achtzehn gesehen, zusammen mit einer Freundin. Wir waren beide in der Buchhändlerlehre, wir wollten aber beide nicht Buchhändlerin sein, sondern etwas anderes. Nur gestanden wir es uns und einander noch nicht ein. Nach der Vorstellung blieben wir sitzen und schauten uns den ganzen Film noch einmal an. Nachher saßen wir irgendwo draußen und rauchten und waren ganz sicher, dass wir es schaffen würden. Sie wollte Schauspielerin werden. Ich Schriftstellerin.

Ich wollte immer schon schreiben. Nicht tanzen.

Oder war es doch tanzen?

Ich bin etwas nervös, als ich das Studio betrete. Eine langhaarige Fee in einem bodenlagen Kleid umarmt mich und macht dann die Musik an. Zwischendurch gibt sie Anweisungen, die ich kaum verstehe, in einem hypnotisierenden Singsang. Egal. Es sind nur wenig Leute im Raum. Ich nehme mehr und mehr Platz ein. Ich spüre, wie die Anspannung der letzten Monate von meinen Füßen aufsteigt, durch meinen Körper hindurch bis hoch in die Schultern, in den Kopf. Ich krümme mich um meinen eigenen Körper. Um den Schmerz. Ich schüttle meinen Kopf, werfe meine Arme nach oben, ich schüttle alles ab. Ich tanze, bis ich Blasen an den Füßen habe. Nach zwei Stunden bin ich verschwitzt, erschöpft und – anders. Melde mich sofort für den kommenden Abend, meinen letzten, nochmals an. Sage das geplante Essen mit Gabriele dafür ab. Sie freut sich darüber, dass mir der Tanzkurs guttut.

Am nächsten Abend findet der Kurs in einem größeren Saal und mit viel mehr Leuten statt. Es ist heiß, die Musik laut, die Scheiben sind beschlagen. Plötzlich werden wir aufgefordert, einen Partner zu suchen: «Nehmt Blickkontakt auf, stimmt eure Bewegungen aufeinander ab!» Die nächsten zehn Minuten sollen wir nur mit dieser einen Person tanzen, ganz aufeinander eingehen. Ich wende mich nach rechts – da ist niemand mehr. Bewege mich in die Mitte des Raums, drehe mich um – niemand. Ich bin in der Masse untergegangen, ich habe mich aufgelöst, ich existiere nicht mehr. Fünfmal hintereinander werden wir dazu aufgefordert, fünfmal hintereinander bleibe ich allein. In einem Saal mit hundert Tänzern. Jedes Mal, wenn ich mich jemandem zuwende, egal ob Mann oder Frau, jung oder alt, weichen die Tänzer vor mir auseinander. Die Masse teilt sich wie das Rote Meer vor Moses, und ich stehe vor einer Lichtung. Vor dem Nichts. Beim ersten Mal denke ich noch, das sei Zufall. Beim zweiten Mal kriecht die vertraute Scham in mir hoch, und beim dritten Mal will ich aus dem Fenster springen.

Ich erinnere mich an meine allererste Party, die wir «Fez» nannten. Ich war in der fünften Klasse. Meine Mutter kaufte mir extra einen langen Rock und föhnte mir die Haare. Wir waren elf Mädchen und zehn Buben in meiner Klasse. Es kam so weit, dass zwei Buben sich prügelten, damit sie nicht mit mir tanzen mussten. Ich saß den ganzen Abend auf einem Stuhl und erzählte Witze. Als ich nach Hause kam, hatte meine Mutter auf mich gewartet. Ich erzählte ihr, es sei super gewesen. Weil ich mich schämte. Weil ich sie nicht enttäuschen wollte.

Als die tanzende Masse zum vierten Mal vor mir zurückweicht, verlasse ich den Raum. Die ersten Paare wälzen sich bereits auf dem Boden. «Eine gefahrlose Art, Körperkontakt herzustellen», hat meine Schülerin es genannt. «Sich ausprobieren in einem geschützten Raum …» Das ist doch genau das, was ich jetzt brauche! Warum bekomme ich es dann nicht? Als ich in meine Stiefel schlüpfe, meine «lucky boots», habe ich Tränen in den Augen. Auf dem Weg zur U-Bahn fühle ich mich, als sei ich in einer Kapsel gefangen, in einer Blase inmitten eines leeren Raums. Ich bin getrennt von den anderen, die draußen sitzen und lachen und essen und reden und sich küssen. Ich könnte mich zu ihnen setzen. Allein zu essen hat mich noch nie gestört, schon gar nicht auf Reisen. Doch ich habe es zu oft getan. Ich gehe an den Lokalen vorbei, blind für alle Möglichkeiten. Irgendwo kaufe ich mir ein Sandwich, ich achte nicht einmal auf die Füllung, und fahre nach Hause. Und dann, in der U-Bahn, irgendwo unter dieser großen Stadt, lichtet sich meine Verzweiflung plötzlich. Die Wolkendecke reißt auf, ohne Vorwarnung. Ich sehe wieder die sich am Boden wälzenden Paare vor mir und muss plötzlich lachen. Es ist nichts falsch an mir, denke ich, ganz im Gegenteil. Irgendetwas in mir schützt mich vor den gröbsten Fehlern, die ich machen könnte. Vor dem größten Bullshit. Irgendetwas in mir ist gesund und stark: mein Instinkt. Ich kann nicht erwarten, mit Gabriele darüber zu reden, doch als ich nach Hause komme, schläft sie schon. Ich esse mein Sandwich im Dunkeln, ich trinke ein Glas Wein und denke: Ich bin immer noch da.

Das Ruderboot: ein Traum

Gabriele und ich sitzen in einem alten Ruderboot aus Holz. Das Holz ist verwittert, Wasser dringt durch die Planken, wir rudern und rudern und kommen nicht vom Fleck. Weit draußen ein großes Frachtschiff, beladen mit bunten Containern. Es scheint sich nicht zu bewegen. Wir rudern darauf zu, doch wir kommen ihm nicht näher. Verzweiflung erfüllt uns, dringt durch die Ritzen und Löcher wie das schmutzige Wasser der Bucht. Gabriele will aufgeben. Aber aufgeben geht nicht: denn jetzt sehe ich die dreieckige Flosse eines Haifischs näher kommen. Nackte Panik ergreift mich. Der Hai umkreist das Boot, taucht darunter hindurch. Er kommt uns so nahe, dass ich seinen massigen grauen Körper sehen kann. Er reißt das Maul auf: *Jaws.* Todesangst. Ein zweiter Hai taucht auf, ein dritter. Graue Flossen umkreisen uns.

Wir weinen vor Angst, wir wissen, dass wir sterben werden, fast wünschen wir uns, es wäre schon vorbei. Und immer noch rudern wir. Wir rudern und rudern. Und dann, in einem dieser Zeitsprünge, die nur im Traum möglich sind, haben wir den Frachter erreicht. Eine Strickleiter baumelt vom Deck herab. Wir retten uns im letzten Moment. Unter uns zerfällt das Ruderboot und versinkt. Wir hängen an der Strickleiter über den aufgerissenen Mäulern der nach uns schnappenden Haie. Sie erreichen uns nicht mehr. Wir klettern die Strickleiter hinauf und kommen an den meterhohen Buchstaben vorbei, die den Namen des Schiffes anzeigen. Es heißt *HEIMAT.*

Ich lache noch, als ich aufwache. Für mich musste die Traumdeutung nicht extra erfunden werden.

Das Eheversprechen: Daphne und Paul

Am nächsten Tag ziehe ich in den Norden weiter, nach Maine, wo Daphne und Paul ein mexikanisches Restaurant führen. Daphne war meine erste richtige Freundin in San Francisco. Auszuwandern war von uns damals eher spontan entschieden worden, wir wollten weg, vielleicht für ein Jahr. Es wurden acht. Nur ein einziges Mal kamen mir Zweifel an unserer Aktion, zu Beginn, als wir erst wenige Wochen dort waren.

Mit dem damals dreijährigen Cyril hatte ich bereits an zwei «play dates» teilgenommen. Aus Zürich war ich es gewohnt, dass die Kinder zusammen spielten, während die Mütter in der Küche Kaffee tranken, Zigaretten rauchten, redeten. Hier aber saßen die Mütter, manchmal unterstützt von den Vätern, die sich extra dafür freigenommen hatten, zusammen mit den Kindern auf dem Boden des Wohnzimmers, inmitten von Bergen von Spielsachen, und kommentierten jede Zuckung: «Samantha, willst du mit dem Auto spielen? Willst du Cyril das Auto zeigen? Cyril, schau, Samantha zeigt dir das Auto. Tolles Auto!! Gut gemacht, Samantha. Das macht Spaß! Nicht wahr Cyril, das macht dir Spaß?»

Keine der anderen Mütter, die ich im Kindergarten und auf dem Spielplatz kennenlernte, teilte mein Bedürfnis nach kinderfreier Zeit, nach einem Gespräch unter Erwachsenen. Verständnislos starrten sie mich an, wenn ich fragte, ob wir uns nicht mal ohne Familie treffen wollten. «Warum denn das?» Ich musste länger in Amerika leben, um zu verstehen, was Familie bedeutet, und was Freundschaft. Das war der erste Moment, in dem mir der Abstand bewusst wurde, der unsere Kultur von der amerikanischen trennt, die uns auf den ersten Blick so vertraut ist wie die eigene.

Deshalb hatte ich Daphnes Einladung ohne Begeisterung angenommen. Außerdem war ihre Tochter Lucy ein Jahr älter als Cyril und – eben – ein Mädchen. Höchstens eine halbe Stunde, dachte ich, als ich an der Tür klingelte. Daphne öffnete die Tür, eine Flasche Wein und einen Korkenzieher in der Hand: «Ist es noch zu früh für ein Glas Wein?»

«O Gott! Nein!» Vor Erleichterung wäre ich beinahe in Tränen ausgebrochen. Wir blieben den ganzen Nachmittag und dann gleich zum Abendessen, obwohl die Kinder tatsächlich nicht viel miteinander anfangen konnten. Aber sie spielten friedlich nebeneinander her, während Daphne und ich auf dem Balkon saßen und dem dicken Nebel zuprosteten, der träge über die Hügel rollte wie eine schwebende Lawine.

Irgendwann fing sie an zu kochen, wie ich es noch bei keiner Amerikanerin gesehen hatte, sorgfältig und doch selbstverständlich. Ich glaube, sie machte Pesto. Dann kam ihr Mann nach Hause, Paul. Von Beruf Flachmaler, mit offenbar britischem Akzent, ein unauffälliger Mann, aber sofort im Mittelpunkt. Die Mädchen sprangen um ihn herum, Lucy führte neue Tanzschritte vor, ihre ältere Schwester Kate zeigte ihm ein Bild, das sie gemalt hatte. Daphne nannte ihn «Babe».

«Wie habt ihr euch eigentlich kennengelernt?», fragte ich.

Sie tauschten diesen Blick, den ich später noch so oft sehen sollte. «Erzähl du das», sagte Daphne und wandte sich wieder ihrem Pesto zu.

Paul ist einer der genialsten Geschichtenerzähler, die ich kenne, und das sind viele. Paul und Daphne haben sich in New York kennengelernt, damals vor zehn, unterdessen vor fünfundzwanzig Jahren. Er war «frisch vom Boot», aus Nordirland abgehauen unter Umständen, über die die wildesten Gerüchte kursierten. Irgendwo zwischen Flucht vor der IRA und Liebeskummer lag vermutlich die Wahrheit. Paul spielte in einer Band, und während er auf seinen Durchbruch wartete, wischte er in einem Restaurant die Tische ab und machte einer bildschönen Kellnerin den Hof, die ihn täglich zurückwies. Daphne hatte, wie so viele Frauen, eine Schwäche für «bad boys», für Männer, die sie zum Weinen brachten. Wie an jenem Tag, an dem Paul sie mit verheulten Augen erwischte.

«Geh doch heute Abend mit mir aus», sagte er mit dem Mut eines Verzweifelten. «Geh heute Abend mit mir aus und mach diesen Tag für uns beide zu einem besseren Tag!» Es war keine Frage, denn gefragt hatte er sie schon oft. Doch dieser Tag konnte wirklich nur noch besser werden, also zuckte sie mit den Schultern und sagte ja. Oder eher: von mir aus.

Er wartete auf sie, bis ihre Schicht zu Ende war. Sie gingen hierhin und dorthin, und dann ging er mit zu ihr nach Hause. Und da ist er heute noch.

Drei Wochen nach dieser ersten Nacht war sie schwanger. Sie haben zwei Töchter großgezogen, sind Hand in Hand über den roten Teppich geschritten, als seine Band für einen Grammy nominiert war. Sie haben ein gutgehendes Frühstücksrestaurant geführt, das sie nach ihrer ältesten Tochter benannten und das in Reiseführern als «das Beste, was der Haight Ashbury District seit dem Summer of Love hervorgebracht hat!» angepriesen wurde. In *Kate's Kitchen* hat Piper Kerman, die Autorin des Kultbestsellers *Orange is the new Black*, ihren Mann kennengelernt. Stand jedenfalls neulich in der Zeitung.

Damals, als ich sie in San Francisco kennenlernte, war der Ruhm verflogen, das Geld knapp geworden. Als Paul das Haus, in dem ich wohnte, in Himbeersorbetrot anstrich, rief sie jeden Tag an, immer gegen Mittag. Nach dem dritten Tag hatte ich kapiert, dass sie nicht mit mir reden wollte, sondern mit ihm.

«Ich fahr mal kurz nach Hause», sagte er dann. Wenn er ein paar Stunden später zurückkam, sang er bei der Arbeit einen seiner alten Songs.

«Paul ist ein Glückspilz», sagte sein Lehrling, auch ein Ire, mit Sehnsucht in der Stimme.

Dann reichte das Geld nicht mehr. Daphne und Paul mussten sich einen billigeren Ort zum Wohnen suchen. Sie packten alles ins Auto und fuhren los. Quer durch das ganze große Land, bis an die Ostküste. Zu einem Bruder, der ein Baugeschäft führte. Doch der hatte, anders als versprochen, dann doch keinen Job für Paul. Da saßen sie nun, zu viert in einer schäbigen Mietwohnung, in einem Flecken, in dem sie niemanden kannten und in dem es keine Arbeit gab. Die Kinder hatten sie schon voreilig eingeschult, sie steckten fest. Der Ostküstenwinter war endlos, dunkel und bitterkalt.

Ich erinnere mich an die Telefongespräche, die wir damals führten, an Daphnes Tapferkeit. War die größte Entscheidung ihres Lebens eine Fehlentscheidung gewesen? Nein. Die größte Entscheidung ihres Lebens war es, mit Paul auszugehen. Und sie waren immer noch zusammen. Sie stolperten vielleicht über die Fallen, die ihnen das Leben stellte, aber nie übereinander. Nach acht langen Monaten meldete sich Daphnes Zwillingsschwester Eloise, eine begabte Köchin, mit der zusammen sie damals das Frühstücksrestaurant Kate's Kitchen in San Francisco geführt hatten. Sie hatte ein vollkommen verfallenes Restaurant in Maine gekauft, zwei Bundesstaaten weiter die Küste hinauf, und fragte, ob sie wieder dabei wären.

Jetzt sitze ich in ihrem kleinen Haus in Brunswick, Maine, gleich neben dem Restaurant El Camino, dem einzigen Mexikaner im ganzen Bundesstaat. Es läuft gut, die Küche wurde bereits in einigen Magazinen erwähnt. Daphne hat den Vormittag mit Einkaufen und Vorbereiten verbracht, ihre Schwester wird kochen, Paul die Gäste empfangen – aber nicht heute, heute ist das Restaurant geschlossen, Daphne kocht. Sie macht frischen Pesto, wie damals, als ich zum ersten Mal bei ihr war.

«Weißt du noch?», frage ich.

«O Gott, ja!» Sie lacht. «Weißt du noch, wie meine Mutter anrief? ‹Daphne, was kochst du? Ah … Nudeln mit Pesto, in Ordnung … aber den Pesto machst du selber? Und den Basilikum hast du auch selber gezogen? Gut, aber was ist mit dem Olivenöl, hast du das selber gepresst?›»

Wir lachen. In den Augen ihrer Mutter, einer verhinderten Künstlerin, ist Daphne das schwarze Schaf der Familie. Weil sie nicht «kreativ» ist, nicht malt, ihre Möbel und Kleider nicht selber herstellt und sich nicht schminkt. Weil sie nie mehr wollte als ein glückliches Familienleben, ein offenes Haus, einen Tisch, an dem viele Menschen sitzen.

Eines Abends lümmeln wir uns auf dem Sofa, und ich erzähle von meiner unerfreulichen Scheidung. «Hab ich dir je von meiner ersten Scheidung erzählt?», fragt Paul. Ich grinse. «Meine erste Scheidung.» Der perfekte Titel des geborenen Geschichtenerzählers. Dabei war seine erste Scheidung auch seine einzige. Ich kenne die Geschichte. Sie endet damit, dass die geldgierige Exfrau sich schließlich mit einem Paar echter amerikanischer Levi's-Jeans zufriedengab. «Noch schlimmer war aber die Scheidung meiner Mutter», fährt Paul fort. «Mein Vater war mit dem Geld einer Nonne nach Amerika gefahren, um sein Glück zu machen. Wir sollten nachkommen. ‹Gebt mir drei Monate›, sagte er, ‹um etwas aufzubauen, ein halbes Jahr höchstens.› Doch dann haben wir kein Wort mehr von ihm gehört. Bis er, nach vier langen Jahren, endlich meiner Mutter schrieb, er wolle über alles reden, ob sie ihm verzeihen könne, sie solle nach New York kommen. Meine Mutter überlegte hin und her, hatte schlaflose Nächte. Was sollte sie tun, und woher das Geld für ein Ticket nehmen? Doch sie liebte den Mann noch. Die Nachbarn sammelten für die Reise. Endlich stieg sie ins Flugzeug. Doch als er sie in New York abholte, sagte mein Vater: ‹*Surprise!* Wir fliegen weiter nach Reno, da kann man sich billig scheiden lassen.›»

«Oh, aber dann lernte sie doch diesen Autorennfahrer kennen, erzähl das!», bettelt Daphne. «Du weißt schon, der mit den Ponys!» Dieser Liebhaber hatte Pauls Mutter versprochen, sie zu heiraten. Er würde ein Haus für sie und ihre vier Kinder bauen, und einen Stall, in dem vier Ponys stehen würden. Eins für jedes Kind. Paul und seine Geschwister hatten den Ponys schon Namen gegeben. Alles würde endlich gut werden. Pauls Mutter, Pat, kündigte die Wohnung und ihren Job. Zur vereinbarten Zeit standen sie mit ihren Koffern am Straßenrand und warteten auf den Rennfahrer. Der aber nie kam. Es stellte sich heraus, dass er das Haus wohl gebaut hatte, und den Stall auch, ja sogar die Ponys gekauft. Nur leider für eine andere Frau und andere Kinder.

Doch Pat gab nicht auf. Unbeirrt stürzte sie sich ins nächste Abenteuer. Jahre später tanzte sie bei den Roly Polys, den «Pummelchen», einer Truppe nicht mehr junger und nicht stromlinienförmiger Showgirls, die unter anderem in Las Vegas auftraten.

Am Kühlschrank hängt die Einladung zu einer Hochzeit. Sie zeigt den Schnappschuss eines windzerzausten, verliebten Paars im mittleren Alter. «Wer ist das?», frage ich und nehme das Bild in die Hand.

«Das ist Jenny, eine unserer Kellnerinnen ... Sie lebte eine Zeitlang in der Wohnung unter uns. Und Dave war einer unserer Stammgäste.» Als er das erste Mal das *El Camino* betrat, war Dave noch in Begleitung seiner ersten Frau. Die Ehe war schwierig. «Sie stritten sich oft im Lokal», erinnert sich Paul. Er behauptet auch, genau gemerkt zu haben, wann Dave sich in die Kellnerin verliebte. Aber es dauerte noch achtzehn Monate, bis er seine Ehe beendet hatte und geschieden war. Erst dann sprach er Jenny zum ersten Mal an.

Mir fällt der Kiefer herab. Das gibt es also auch? Das muss ich meinen verbitterten Freundinnen erzählen! Von wegen – alle Männer lügen, alle gehen fremd! Jenny ließ sich auch gar nicht so schnell überzeugen. Es dauerte mindestens noch einmal drei Monate, bis sie sich auf eine erste Verabredung einließ. Dann allerdings ging alles ganz schnell.

«Ich weiß noch, wie ich mal unten bei ihr in der Wohnung saß und mich umschaute. Alles war vollgestopft mit Möbeln,

Gegenständen, Erinnerungen. ‹Jenny›, sagte ich zu ihr, ‹wie soll hier ein Mann Platz haben?› Und dann räumte sie ihre Wohnung aus, und dann …»

Ist mein Leben zu voll?, frage ich mich. In Lucys Zimmer, in dem ich schlafe, sind die Wände blau bemalt. In einer adoleszenten Krise hat sie in schönster Schörkelschrift Sinnsprüche an die Wände gemalt, die heute mich trösten. Das werde ich ihr aber nicht sagen. Lucy glaubt noch, das Leben werde einfacher. Die Erwachsenen hätten es im Griff. Ich glaube, ich war vierzig, als ich diese Hoffnung aufgab: Eines Tages ist alles klar. Eines Tages ergibt alles einen Sinn. Ich werde wissen, was ich tue und warum.

Daphne und ich machen einen Ausflug die Küste hoch. Daphne fährt meinen Mietwagen, sie ist eine schlechte Beifahrerin. Wir hören eine CD, die Paul mir geschenkt hat. Still und heimlich hat er wieder angefangen, Musik zu machen. Geduldig nimmt er alle Tonspuren selber auf, eine nach der anderen, in einem kleinen Abstellraum, in dem auch die Waschmaschine steht. Er stellt seine Songs auf Facebook, von dort reisen sie weiter, zwei haben es in den Soundtrack von unabhängigen Filmen geschafft. Der rote Teppich wurde wieder vor Paul und Daphne ausgerollt, er hat nicht mehr dieselbe Bedeutung wie vor zwanzig Jahren.

Wir halten am Meer, es ist immer noch kühl, ich denke an all die Sommerkleider in meinem Koffer. Wir essen Hummersandwiches, köstlich und überhaupt nicht teuer. Ich bin begeistert. Daphne ist erstaunt. «Hummer ist doch nichts Besonderes», sagt sie. «Der wird hier einem hinterhergeworfen, irgendwann hängt er zum Hals heraus.»

Alles eine Frage der Perspektive.

«Frauen wie du und Daphne», sagt Paul später. «Frauen

wie du und Daphne haben es nicht leicht. Ihr seid so schön und stark – das kann einen Mann schon einschüchtern.»

Daphne runzelt die Stirn. Schön und stark, denkt sie, ich? In den letzten fünf Jahren hatten sie beide Krebs, erst er, dann sie. Die Behandlung hat ihre Beziehung verändert. Daphne schaut nicht mehr gern in den Spiegel. Sie erkennt sich nicht mehr. Offenbar reicht es nicht, begehrt zu werden, um sich begehrenswert zu fühlen. Sie schaut ihn an, er grinst: «Zum Glück lass ich mich nicht so leicht abschrecken!» Sie lächelt. Am nächsten Tag schiebt sie das Ehebett in ein anderes Zimmer, ein Zimmer, «in dem ich nicht krank war». Das Leben geht nicht besonders sanft mit Daphne und Paul um, denke ich. Sie miteinander dafür umso mehr. Offensichtlich habe ich meine innere Romantikerin falsch erzogen, die immer davon ausging, dass nur eine dramatische Beziehung echt sein kann. Aber das Leben ist Drama genug, warum sich in der Beziehung zerfleischen?

«You teach people how to treat you», sagt Daphne. Wie du von anderen behandelt wirst, das hast du ihnen beigebracht. Ich weiß schon. Deshalb hilft es mir nichts, über meinen Exmann zu lästern, auch wenn es sich manchmal gut anfühlt. Aber die Frage ist nicht: «Was hat er getan?» Die Frage an mich muss lauten: Warum habe ich das mitgemacht?

Ich kenne die Antwort: Ich habe mir mein Gefühl für mich selber abtrainiert, weil die Alternative, den geliebten Menschen in Frage zu stellen, unerträglich war. Das kann ich niemandem vorwerfen, nicht einmal mir selber. Ich weiß alles, was ich wissen muss. Ich stelle mich meinen Dämonen, ich weiche ihnen nicht aus. Ich schaue hin, ich arbeite an mir. Aber das ist anstrengend. Ich bin so müde. Ich möchte es jetzt einfach mal schön haben. Ist das denn zu viel verlangt?

Sehr früh morgens schleiche ich aus dem schlafenden Haus und fahre mit meinem Mietwagen zurück zum Flughafen in Portland. Am Flughafen merke ich, dass ich meinen Pass nicht habe. Ich rufe Daphne an, sie stellt das Haus auf den Kopf – nichts.

Aber der Führerschein, meint sie, der in Amerika zu jeglichem Identitätsbeweis dient, müsste für einen Inlandflug ausreichen.

Vor mehr als zwanzig Jahren war ich schon einmal in New Orleans, meinem nächsten Reiseziel. Mein damaliger Freund hatte einen Künstleraufenthalt in der Stadt gewonnen, ich besuchte ihn zusammen mit meinem Sohn Lino, der damals zwei Jahre alt war. Wir waren vier Erwachsene in einem gemieteten Hausteil, keiner von uns hatte einen Führerschein. Wir erkundeten die Stadt mit gemieteten Fahrrädern. Wann immer wir zum Beispiel Geld wechseln wollten, lange vor E-Banking und Bankomaten, zeigten wir am Bankschalter stolz unsere roten Schweizerpässe vor. Doch diese wurden nur misstrauisch hin und her gewendet. «Haben Sie denn keinen Führerschein?» – «Sorry, nein.» Heute ist es umgekehrt. Der Fahrausweis nützt mir gar nichts, den roten Pass wollen sie sehen.

Seit dem 11. September 2001 – «Nine-eleven, verstehen Sie?» – dürfen Ausländer auch Inlandflüge nur noch mit gültigem Pass antreten. «Eigentlich dürfen wir Sie gar nicht fliegen lassen.» Dieses «eigentlich» lässt einen gewissen Spielraum ahnen, der aber noch abgeklärt werden muss. Während ich warte, erfüllt mich eine seltsame Ruhe. Was kann schon passieren? Ich verpasse den Flug nach New York, den Zug nach New Orleans? Na und, dann rufe ich einfach Daphne an, sie holt mich hier ab. Wir fahren zurück nach Brunswick, ich verbringe den Rest meiner freien Zeit am selben Ort, warum nicht? Hat Paul nicht gesagt: Bleib bei uns, bleib in Maine, hier finden wir dir einen Mann? Doch bevor ich mich meinem Schicksal in die Arme werfen kann, werde ich durchgewunken. Mein Handgepäck wird noch einmal durchsucht, ich selber von allen Seiten abgeklopft, dann sitze ich im Flugzeug nach New York.

Was das Ausmaß einer Katastrophe hätte annehmen können, ist überhaupt kein Problem: Weil ich alleine reise. Nur ich selbst leide unter meinen Fehlleistungen – wenn überhaupt –, und niemand sonst ist dafür verantwortlich. Dafür kann auch niemand schwerwiegende Charakterstörungen daraus ableiten und mir vorhalten. Ich fliege also nach New York, nehme ein Taxi zum Schweizer Konsulat und lasse mir einen Notpass ausstellen. Mit dem Taxi weiter zum Bahnhof, unterdessen hat der Feierabendverkehr eingesetzt, ich steige etwas früher aus, gehe die letzten hundert Meter, mein Haar fliegt, mein Schal löst sich, in wie vielen Filmen habe ich das schon gesehen? Jetzt wird es knapp. Ich finde das richtige Gleis nicht, dann verstehe ich nicht, dass ich es mit der Rolltreppe erreiche. Doch der *Southern Crescent* wartet auf mich. Ungeduldig blinkt ein rotes Licht, eine dicke Schaffnerin winkt und bläst auf der Trillerpfeife. Ich laufe den menschenleeren Bahnsteig entlang, den Koffer hinter mir herziehend, mein Schal löst sich und fällt zu Boden.

Einunddreißig Stunden dauert die Fahrt. Einunddreißig Stunden lang bin ich weder hier noch dort. Ich habe ein Schlafwagenabteil gebucht, zwei Betten, eine Toilette, alles für mich allein. Vier Mahlzeiten inbegriffen. Viel erwarte ich nicht, was verstehen die Amerikaner schon vom Zugfahren?, denke ich. Typische Schweizer Arroganz. Für das Geld, das dieses Luxusabteil kostet, können Daphne und Paul, als sie mich ein Jahr später in der Schweiz besuchen, gerade mal von Aarau nach Luzern fahren. Ich richte mich ein wie in einem Hotelzimmer. Fotografiere zum Fenster hinaus. Die Schaffnerin stellt sich mir mit Namen vor: «Ich bin Roslyn. Na, Sie waren ja mal knapp dran! Mannomann! Willkommen im *Crescent*!» Kaum ist sie gegangen, klopft es wieder. Eine Frau mit blondgefärbtem Haar, das aussieht wie eine Perücke, stellt sich vor: «Ich bin Debbie, Ihre Betreuerin. Wenn Sie irgendetwas brauchen, wenden Sie sich bitte an mich.» Ich bin sprachlos. Später klopft Debbie an die Tür: «Abendessen wird serviert!» Es ist fünf Uhr nachmittags.

«Okay!», rufe ich zurück. «Danke!»

Als ich eine Stunde später den Speisewagen betreten will, hält Debbie mich auf. «Honey, da sind Sie ja! Ich hab mir schon Sorgen gemacht!»

«Sorgen?»

«Ich hab geklopft und gerufen, haben Sie mich nicht gehört?»

»Doch, ich hab doch auch geantwortet.»

«Ja, aber dann sind Sie nicht zum Essen gekommen.» Sie schüttelt den Kopf, dann lässt sie mich gehen. Ich bin seltsam gerührt. Jemand hat ein Auge auf mich. Ich bin allein, aber ich bin nicht allein. Ich bin sicher in einem Zug, registriert, wahrgenommen. Es ist nicht egal, ob ich zum Essen komme oder nicht.

Ich sitze an einem Achtertisch, der sich langsam füllt. Zwei Schwestern setzen sich zu mir, die eine kommt aus Carolina, die andere aus Kalifornien. Einmal im Jahr fahren sie zu einem Familientreffen, immer mit dem Zug. «Nie hat man so viel Zeit, um sich zu unterhalten!» – «Und man kann einander nicht ausweichen!» Die beiden Schwestern verkörpern fast schon klischeehaft die beiden Enden des Spektrums eines typisch amerikanischen Frauenlebens. Carol, die Südstaatlerin mit dem auch im Zug perfekt geföhnten Haar, den strahlend weißen Turnschuhen, der betont höflichen Art, die man ironisch verstehen könnte, wenn man es nicht besser wüsste. Andrea, ungeschminkt, grauhaarig, verkörpert hingegen die nordkalifornische Intellektuelle, sie bestellt den Salat ohne Sauce, den Vegi-Burger, trinkt aber dazu einen Whisky. Carol kreist mich mit vorsichtigen Fragen ein, bis sie ein unverbindliches Gesprächsthema findet. Andrea hingegen legt ihren Finger direkt auf die wunden Punkte. «Warum reisen Sie allein? Haben Sie keine Freunde?» Meinen Zivilstand hat Carol schon eruiert. «Oder Freundinnen?» Bevor ich antworten kann, mischt sich Carol wieder ein: «Wie gefällt Ihnen denn die Landschaft hier? Die Schweiz soll ja auch wunderschön sein. Aber schauen Sie mal zum Fenster raus, sehen Sie: diese Bäume!» Welche von beiden ist nun die typische Amerikanerin? Und bin ich eine typische Schweizerin? Werden die beiden von nun an erzählen, dass Schweizerinnen am liebsten alleine reisen, sich häufig scheiden lassen, keine konkreten Pläne haben?

Die Schwestern verabschieden sich, ich habe den Tisch für mich allein. Wenn ich in einem Film wäre, würde sich jetzt ein gutaussehender dunkelhaariger Fremder zu mir setzen. Und genau das passiert auch. Nur ist Tom verheiratet. Und über neunzig Jahre alt. Er ist gerade Urgroßvater geworden und fährt mit dem Zug von Baltimore nach Charlotteville. Den Führerschein hat er vor kurzem abgegeben. Unfreiwillig und ungern. Er zeigt mir Fotos seiner Enkel, richtige Fotos, die er aus der Brieftasche zieht, keine Handybilder.

Ich bestelle ein Steak, es ist erstaunlich gut, kann mich

nicht erinnern, in europäischen Zügen so gut gegessen zu haben. Außerdem ist es inbegriffen. Egal, was es kostet, das Steak für zwanzig Dollar oder der Burger zu zwölf. Nur der Wein nicht, man bedauert das. «Sorry, Ma'm!»

Als ich in mein Abteil zurückkomme, sind beide Betten gemacht. Hat Debbie vorgesorgt für den Fall, dass ich im Speisewagen jemanden kennenlerne? Oder wollte sie mir einfach die Wahl überlassen? Wie dem auch sei, die Geste rührt mich. Ich würdige sie, in dem ich beide Betten benutze. Jedes Mal, wenn ich nachts aufwache, steige ich die Trittleiter hinauf oder hinunter. Vor dem Fenster zieht die Nacht vorbei.

Überlass es Miss Gypsy!

In New Orleans, wo ich drei Tage bleiben will, holt mich mein absurdes Leistungsdenken wieder ein. Das war ja wirklich schön, diese stillen Tage bei Daphne und Paul, aber jetzt!, jetzt muss es vorwärtsgehen, ich muss Gas geben, endlich glücklich sein! Ausgehen, Musik hören, tanzen, flirten! Und ab die Post! Ich habe schließlich nicht ewig Zeit.

Doch das Hinterhaus bei Jack und Mike – auch ein glückliches Paar, das ich aber nicht kenne, nur zufällig auf Airbnb gefunden habe – ist dunkel und schwül, schwer zu lüften. Die Einrichtung ist plüschig, dunkel, Satin und Samt. Ich ertrage die Hitze schlecht, die Feuchtigkeit. Meine Füße schwellen an. Ich kaufe eine Flasche Wein, schalte die Klimaanlage ein und den Fernseher. Auf allen Kanälen werden Reality Shows gezeigt. Zwölf Männer buhlen um eine Frau. Zwölf Frauen buhlen um einen Mann. Es ist immer dasselbe. Ich bin nicht allein, wir wollen alle dasselbe. Ich schalte um. Teenager entfliehen der amischen Gemeinschaft und betrinken sich in der

Großstadt. Klick. Bräute verlieren die Nerven, schmeißen mit Blumengestecken, kreischen. Klick. Amish-Teenager hauen in die Großstadt ab und versuchen mit Dingen umzugehen, die sie nicht kennen, Autos, Fernseher, Alkohol. Klick. Ein Medium mit gefährlich aussehenden künstlichen Fingernägeln besucht ein Fitnesszentrum, um ein bisschen in Form zu kommen und richtet dem bulligen Trainer als Erstes Grüße von seiner verstorbenen Mutter aus. Der Fels von einem Kerl bricht in Tränen aus. Hier bleibe ich hängen. Ich wünschte, jemand könnte mir sagen, was als Nächstes kommt. Was ich tun soll. Ich habe schließlich eine Mission! Ich muss mich erholen, ich muss glücklich sein, wo finde ich denn das Glück in dieser dunklen, schwülen Stadt? Ich konsultiere meine Liste: Tanzen, steht immer noch ganz oben. Und ich bin in New Orleans! Wo jedes zweite Haus ein Musikclub ist und sogar auf der Straße Musik gemacht wird. Und getanzt. Ich schalte den Fernseher aus, ziehe ein Kleid an. Gehe hinaus, die Straßen entlang, ich höre Musik, von überallher Musik. Die Klänge vermischen sich. Immer wieder bleibe ich stehen, schaue hier und da hinein, kann mich nicht entscheiden. Ich verschwinde in der Masse, löse mich auf. Am Ende, ich weiß nicht wie, lande ich am einzigen Ort, der ganz leer ist. Am einzigen Ort, an dem keine Musik gespielt wird. Ich bestelle ein Glas Wein, lasse es stehen, schiebe eine Zwanzigdollarnote darunter, viel zu viel. Auf dem Weg nach Hause verirre ich mich, alle Straßennamen klingen gleich. Es ist immer noch heiß.

Ich schäme mich. Wieder habe ich versagt.

Am nächsten Tag streune ich durch die Straßen, lande immer wieder am selben Ort. Zweimal komme ich an einem Voodoo-Laden vorbei, beim zweiten Mal trete ich ein und sehe, dass die Voodoo-Priesterin Madame Denise auch persönliche Beratungen anbietet. Spontan frage ich, ob sie Zeit hat, und bekomme einen Termin in einer halben Stunde. Der Laden ist klein, aber klimatisiert. Am liebsten würde ich hier warten. Aber ich habe das Gefühl, die Beratung zu stören, die gerade in einer Ecke hinter einem Vorhang stattfindet. Der Vorhang schließt nicht richtig, ich sehe ein Paar eng aneinandergedrängt in einem Stuhl sitzen, sie halb auf seinem Schoß, ich höre nicht, was Madame Denise sagt, aber ich höre die Kundin lachen, etwas zu laut.

Ich gehe hinaus, die Hitze trifft mich wie eine Ohrfeige. Ich kämpfe mich nur ein paar Meter weiter, bis zum nächsten klimatisierten Geschäft, wo ich jede einzelne Postkarte studiere. Plötzlich erinnere ich mich an New York im Winter, wie Cyril und ich von einem Geschäft zum nächsten hasteten. Wir hielten den Atem an, bis wir wieder irgendwo drinnen waren, damals war es die Kälte, die uns in den Lungen weh tat, die gnadenlose Bise. Ich sehne mich nach dem gemäßigten Klima in San Francisco. In meinen Jahren dort besaß ich nicht einmal einen Wintermantel. Allerdings auch keinen Badeanzug.

Die Minuten vergehen langsam, die Zeit scheint in der feuchten Hitze zu schmelzen. Schließlich gehe ich in den Voodoo-Laden zurück. Ich muss noch eine Weile warten. Schließlich bewegt sich der Vorhang, und das Paar kommt heraus. Sie bedankt sich, er kauft noch ein paar Kerzen. Ach so, denke ich. Natürlich, die Touristenfalle. Madame Denise wird auch mir sagen, welche Kräuter und Kerzen und Gris-Gris ich unbedingt brauche und dass ich sie gleich hier kaufen kann. Wie praktisch. Ich denke an das Medium aus New Jersey und dass ich genauso gut nach Hause gehen und den Fernseher einschalten könnte. Wenn ich nicht im Voraus bezahlt hätte. Aber jetzt winkt mich Madame Denise zu sich. Sie wirkt müde, lustlos, vielleicht sogar bekifft. Sie raucht. Nein, sie raucht nicht, aber Aschenbecher und Feuerzeug liegen auf dem Tisch bereit, ein Stapel Karten. Sie schließt die Augen. Dann schaut sie mich an.

«Giiiiiiiiiiiirllllllllll, you are so tired!», schreit sie.

«Na ja …» Ich bin ein bisschen beleidigt, schließlich bin ich jetzt seit zehn Tagen unterwegs, ich sollte doch nicht mehr so müde sein, man sollte mir das auch nicht ansehen, finde ich. «Du bist müde», wiederholt sie. «Müde, müde, müde! Müde, immer für die anderen da zu sein, alles für sie zu machen. Müde, einfach nur müde.»

Sie redet über den Ort, an dem ich lebe, dass ich einen anderen Ort zum Leben suche, dass ich weniger arbeiten will, es gehe um meine Pensionierung: «For you, it's all about retirement.» Was meint sie denn damit? Soll ich etwa aufhören zu arbeiten? Bei der bloßen Vorstellung überfällt mich Panik. Die Arbeit ist alles, was ich noch habe. Doch das Wort bedeutet auch Rückzug. Rückzug wohin?

«Nach San Francisco?», frage ich hoffnungsvoll.

«Giiiiiirrrrlllll, I loooooooooove Frisco!» Aber nein, sie sieht nicht Frisco, sie sieht einen anderen Ort, sie kann ihn nicht benennen, es ist jedenfalls nicht New York und auch nicht Los Angeles. «Ein Ort, an dem du gut schreiben kannst … Deine Söhne werden dir dabei helfen …» Meine Söhne habe ich gar nicht erwähnt. Plötzlich stutzt sie, hält inne. «Wer hat versucht, dich zu verfluchen?», fragt sie.

Mich verfluchen? Ich verstehe nicht.

«Kennst du jemanden von hier?», fragt sie. «Jemanden, der sich mit Voodoo auskennt? Jemanden aus Haiti vielleicht?»

Mein Atem stockt. Wie zum Teufel kommt sie nur auf Haiti? Ich habe ihr doch gar nichts erzählt, nichts über das

Ende meiner Ehe, nichts über die unschöne Rolle, die eine junge Haitianierin darin spielte. Das ist alles vergessen und vorbei, ich bin wegen etwas anderem hier, ich suche das Glück. Ich will von neuen Orten hören und von einem gutaussehenden dunkelhaarigen Fremden, der demnächst in mein Leben treten wird. Ich will nach vorne schauen, nicht zurück … Madame Denise wartet immer noch auf eine Antwort.

«Ja, schon», sage ich lahm. «Aber ich habe sie mal getroffen, sie war total nett zu mir.»

«Nett!» Madame Denise schnaubt. «Hast du etwas, das diese Person für sich haben möchte?»

«Nein», sage ich trotzig. «Habe ich nicht.» Ich kann es nicht glauben. Ich weigere mich, es zu glauben. Plötzlich erinnere ich mich, dass mein Exmann von einer seiner früheren Reisen nach Haiti eine leere, mit Stoff und Perlen beklebte Rumflasche mitgebracht hatte, die er von einem Voodoo-Priester bekommen hatte. «Darin habe ich deine Seele gefangen!» Damals fand ich das romantisch.

«Der Fluch hat nicht wirklich gegriffen», beruhigt mich Madame Denise. «Aber es erklärt auch, warum du so müde bist.»

«Was muss ich jetzt tun?»

«Nichts. Nur du selber sein.» Zum Abschied umarmt sie mich lange. «Danke», sagt sie. «Danke für deine Seele und für deinen Geist.»

Das hat sie mit den anderen Kunden nicht gemacht. Ich bin berührt. Sie versucht auch nicht, mir irgendetwas zu verkaufen, keine Kerze, kein Gris-Gris, nichts, sondern sie gibt mir eine Visitenkarte, empfiehlt mir eine Reiki-Behandlung.

Die Reiki-Therapeutin heißt Miss Gypsy. Sie ist erstaunt, als ich sie anrufe und sage: «Madame Denise schickt mich.»

«Madame Denise? Was für eine Ehre! Ich wusste gar nicht, dass sie meine Visitenkarte hat.» Ich kann am selben Nachmittag zu ihr kommen. Trotzdem habe ich das Gefühl, ich müsse noch irgendetwas erleben in dieser Stadt. Ich versuche mich an die Zeit vor fünfundzwanzig Jahren zu erinnern. Was haben wir gemacht? Wir sind mit dem Schiff den Mississippi entlanggefahren, erinnere ich mich plötzlich. Mein damaliger Freund hat Lino auf den Arm genommen und in den Maschinenraum getragen und ihm mit großem Ernst und absoluter Exaktheit erklärt, wie so ein Raddampfer funktioniert. Ich weiß noch, wie ich lachte: «Wie soll ein Zweijähriger das verstehen? Ich verstehe es ja nicht einmal.»

Aber Lino wollte dann auch in Zürich immer mit dem Schiff fahren, mit dem «Dampfrater», wie er ihn nannte. Ich gehe zum Fluss hinunter, und da steht er, der Dampfrater. Die *Natchez*. Sieht noch genauso aus wie vor fünfundzwanzig Jahren. Das Horn tutet schon zur Abfahrt, ohne zu überlegen löse ich eine Karte. Ich setze mich ins Heck, schaue auf das Rad hinunter, auf die roten Schaufeln, die sich drehen und drehen. Sie heben das braune Wasser und lassen es wieder fallen. Ich verstehe immer noch nicht, wie es funktioniert. Aber ich gehe nicht in den Maschinenraum hinunter. Ich schaue nur dem Wasser zu, das von den roten Schaufeln bewegt wird. In diesen zwei Stunden muss ich nichts. Ich muss nichts erleben. Ich muss nichts tun. Ich muss meine Liste nicht abhaken. Ich muss nicht glücklich sein.

Miss Gypsys Praxis befindet sich in dem Viertel, in dem ich wohne. Ich gehe zu Fuß hin, meine Fußsohlen glühen, die dünnen Sandalen halten die Hitze des Asphalts nicht ab. Ich flüchte mich in das gekühlte alternative Einkaufszentrum.

Unten befinden sich ein Biosupermarkt, eine Buchhandlung, oben die Behandlungsräume. *Affordable Healing Arts.* «Affordable» ist richtig, die eineinhalbstündige Behandlung kostet nur sechzig Dollar. Ich biete an, mehr zu bezahlen, einen Touristentarif, ich weiß, dass ich auf jeden Fall bessergestellt bin als die Einheimischen. Ich möchte das Angebot, das nicht für mich gedacht ist, nicht ausnutzen. Plötzlich fällt mir ein uralter Streit mit meinem Exmann ein. Wir waren in Kairo, stiegen aus einem Taxi, er diskutierte mit dem Fahrer. Er weigerte sich, den Touristenpreis zu bezahlen: «Wir sind doch keine Touristen», sagte er. «Wir arbeiten hier!» Mir war das peinlich: «Ja, aber wir werden in der Schweiz bezahlt, in Schweizer Franken!» Ich schämte mich, steckte dem Fahrer den Rest zu, mein Mann ärgerte sich, die Szene wiederholte sich noch ein paarmal.

Warum fällt mir das ausgerechnet jetzt ein? Ich schüttle den Kopf, um die Erinnerung zu vertreiben. Das ist vorbei, ermahne ich mich. Da bist du längst drüber hinweg! Mein Mantra. Die Praxishilfe winkt nur ab, «Honey, it's okay!», und schickt mich in den Therapieraum. Miss Gypsy sieht aus wie eine gealterte Juliette Greco, schwarzes Haar, dicker Lidstrich, das Gesicht geliftet, die Brüste gefüllt. Als ich hereinkomme, schießen ihr die Tränen in die Augen. Das fängt ja gut an, denke ich.

«Ach, Milena!», sagt sie. Sie spricht meinen Namen gleich richtig aus: Milena. Nicht Mailiina oder M'leina. Sie spricht meinen Namen aus, als würde sie mich kennen. Mehr noch, was würde ich ihr etwas bedeuten. In ihrer Stimme liegt so viel Anteilnahme, das mir selber fast die Tränen kommen. Ich rede ja auf dieser Reise hauptsächlich mit mir selber. Und mein Ton mir gegenüber ist alles andere als mitfühlend. Plötzlich wird mir bewusst, wie sehr ich mich auf dieser Reise selber unter Druck setze. Tu was! Entspann dich! Sei glücklich! Geh tanzen! Verlieb dich endlich, bleib nicht allein, was sollen denn die Leute denken? Sollen sie denken, du seist nicht normal? Schließlich habe ich die Tarnung verloren, die meine Ehe auch bedeutete. Wenigstens in ihrer letzten, kleinbürgerlichen Phase. Dass wir nicht glücklich waren, sah man uns nicht an. Wir wirkten wie eine ganz normale Familie. In einem schönen Haus mit einem schönen Garten und einem großen Auto davor. Jemand, der all das hat, muss normal sein. Kann nicht verrückt sein.

Meine Knie geben nach, ich lasse mich auf den einzigen Stuhl im Raum sinken. Miss Gypsy beobachtet mich. Ihr Blick ist … ich kann es nicht gleich benennen … eine Mischung aus liebevoll und besorgt … mütterlich! Das ist es. Mütterlich besorgt schüttelt sie den Kopf. «Du trägst so viel mit dir herum», sagt sie. «Leg es ab. Lass es hier.» Es ist meine erste Reiki-Behandlung. Ich spüre Berührungen, wo keine sind, blinzle einmal, glaube plötzlich, ihre Hände auf meinen Füßen zu spüren, dabei steht sie hinter mir. Mein Magen verkrampft sich, mir wird schlecht, dann vergeht auch das. Nach der Behandlung schildert sie mir ihre Eindrücke: Sie habe gesehen, wie ich mit großer Vehemenz Dinge in eine große Mülltonne werfe.

Gut, denke ich. Genau!

Dann ein Tier mit Hörnern, ein Widder oder ein Steinbock, der immer wieder seine Hörner in meine Mitte rammt, mich nicht in Ruhe lässt, meine Lebensenergie zerstört. «Sein Name beginnt mit einem T», sagt sie. «Kommt er vielleicht aus Ägypten?»

Mein Exmann, den ich in Ägypten kennengelernt habe, Sternzeichen Widder, Vorname T…

Ich beginne zu weinen. Ich habe das alles so satt. Es ist so lange her. Ich will mich nicht mehr damit beschäftigen, ich will es hinter mir lassen, in die Zukunft schauen. Warum klebt dieser alte Dreck immer noch an mir?

«Lass es hier», wiederholt Miss Gipsy. «Leave it with Miss Gypsy!»

Auch sie umarmt mich zum Abschied.

Auch an diesem Abend gehe ich nicht aus. Ich bin gerädert. Ich habe zehn Bücher gekauft und seltsame, als gesund angepriesene Fertiggerichte. Ich mache mir Gedanken darüber, was meine Vermieter denken, wenn sie das Licht im Bungalow sehen, ob sie sich fragen, warum ich nicht ausgehe, wo ich doch in New Orleans bin und erst noch in dem angesagten neuen Viertel, wo an jeder Straßenecke angesagte Bars und Clubs aus dem Boden schießen, wo all die Jugendherbergen und Backpacker-Lokale sind. Nichts von dem, was auf meiner Liste steht, habe ich getan. Nichts von dem, was ich mir vorgestellt habe. Ich denke oft an meine Söhne und daran, dass es ihnen hier gefallen würde. Mir nicht. Diese Stadt ist nichts für mich. Aber ich weiß jetzt, warum ich hierherkommen musste: um alles bei Gypsy zu lassen.

Alligatoren umarmen: Susanne und Doug

«Was wollen Sie denn in Breaux Bridge – Alligatoren umarmen?», fragt der Taxifahrer auf dem Weg zum Flughafen, wo ich mein Mietauto abholen soll. Der Flughafen liegt fünfzehn Meilen entgegen meiner Reiserichtung. Ist wohl nicht besonders gut organisiert, denke ich. Und noch einmal, als ich am Schalter stehe und feststelle, dass ich das Auto erst für den nächsten Tag reserviert habe. Typisch, denke ich. Wieder bin ich froh, dass ich allein reise. Niemand regt sich über mich auf. Nicht einmal ich. Ich bin eine katastrophale Reisende. Als junge Frau war ich zu eitel, um eine Brille zu tragen, und stieg andauernd in den falschen Zug. Basel statt Baden. Amsterdam statt Zürich. Einmal stieg ich aus einem Zug, der erst auf dem Rangierbahnhof anhielt, und lief dann über die Geleise in den Bahnhof Mailand hinein. Als ich endlich Kontaktlinsen entdeckte, wurde es nicht besser. Kaum eine Reise ohne Hindernisse. Pass vergessen, am falschen Tag am Flughafen, Pass abgelaufen, Flugzeug verpasst, und immer wieder sitze ich auch heute noch im falschen Zug. Das ist aber nicht das Schlimmste: Das Schlimmste ist die Panik, die in mir aufsteigt, die bodenlose Verzweiflung über meine absolute Unfähigkeit, die einfachsten Dinge des Alltags zu bewältigen.

Auf dieser Reise merke ich endlich: Es ist vollkommen egal. Es kann gar nichts passieren. Dann stehe ich halt hier und schwatze mit Kaesha, bis sie ein neues Auto für mich findet, ein besseres sogar. Kaum hat sich dieses eine Problem gelöst, taucht ein anderes auf: Keine meiner Kreditkarten funktioniert. Ein Anruf in der Schweiz enthüllt, dass meine Kreditkartenrechnungen von der Post als unzustellbar zurückgeschickt wurden. Dabei hatte ich nur den Auftrag erteilt, meine Post in meiner Abwesenheit zurückzubehalten. Entscheide dich endlich!, scheint die Post zu sagen. Wir tolerieren dieses Hin und Her zwischen zwei Kontinenten nicht länger. Entweder du bleibst hier, oder es gibt dich nicht mehr! Wir löschen deine Existenz!

Eine Stunde später haben Kaesha am Schalter und ich bereits unsere halben Lebensgeschichten ausgestauscht, Bilder der Kinder bewundert und uns gegenseitig versichert, dass wir alles schaffen werden, was uns das Leben so hinwirft. Es gelingt mir, meine Existenz in der Schweiz glaubhaft zu machen, meine Kreditkarten werden wieder aktiviert, und Kaesha reicht mir den Schlüssel zu einem Auto mit Klimaanlage. Der Weg zurück macht mir nichts mehr aus. Denn eins habe ich begriffen: Auf einer Reise kann, abgesehen von echten Katastrophen, nichts schiefgehen. Alles ist ein Abenteuer. Alles ist ein Erlebnis. Die Fotos von Kaeshas Kindern sind mindestens so interessant wie ein Museumsbesuch.

Ich drehe das Radio auf und fahre den schnurgeraden Highway in den Süden Louisianas hinunter, wo Susanne und Doug leben.

Susanne war meine allererste Lektorin, im legendären Krösus Verlag. Sechs Jahre lang hatte ich meine Manuskripte herumgeschickt, sechs Jahre lang hatte ich nur Absagen erhalten. Meist Normbriefe: «… bedauern, Ihnen mitteilen zu müssen … passt nicht in unser Programm …» Wenn sich einer einmal Zeit für eine persönliche Antwort nahm, dann lautete sie immer gleich: «Sie haben überhaupt kein Talent, Sie können nicht schreiben, Sie werden nie ein Buch veröffentlichen.» Nur einer, ich glaube sogar, es war ein Lektor von Rowohlt, einem Verlag, bei dem ich später doch noch landete, schrieb mir, er habe selten so gelacht wie beim Lesen meiner Geschichten, aber trotzdem: «Das ist keine Literatur. Das kann man nicht veröffentlichen.» Warum habe ich nicht aufgegeben? Ich weiß es nicht. An meinem übersteigerten Selbstbewusstsein kann es nicht liegen. Ich wusste nie, ob ich gut bin oder nicht. Ich wusste immer nur: Das ist es. Das ist das, was ich mache. Ich bin jemand, der schreibt. Also jobbte ich hier und da und schrieb weiter. Und irgendwann beschlossen Freunde, es reiche nun mit meinem erfolglosen Bemühen, und gründeten einen Verlag, eben den Krösus Verlag. Adrian Zschokke, ein weiterer noch unveröffentlichter Autor aus dem Freundeskeis, und ich bildeten den Autorenstamm. Selbst *Die Putzfraueninsel*, bis heute mein bekanntestes Buch, wäre ohne den Krösus Verlag nicht erschienen. Jetzt erinnere ich mich, dass ich kurz nach Erscheinen meines ersten Buchs, *Gebrochene Herzen*, zum ersten Mal in New Orleans war. Damals ließ ich mir auf dem Jackson Square die Karten lesen. «Wird mein Buch ein großer Erfolg?», fragte ich. Die Kartenleserin zuckte mit den Schultern. «Nicht so sehr. Aber dein zweites, das wird ein internationaler Bestseller!» Eben, *Die Putzfraueninsel*. Die Susanne lektoriert hat.

Ich kannte Susanne also seit fünfundzwanzig Jahren, hatte sie aber bestimmt zwanzig Jahre lang nicht gesehen. Bis zu einem Geburtstagsfest in Zürich vor einem Jahr. Da erzählte sie mir, dass sie im Begriff sei, nach Louisiana auszuwandern.

«Ich will nächstes Jahr diesen Roadtrip machen», sagte ich. «Vielleicht komme ich ja in eurer Ecke des Landes vorbei?»

»Unbedingt», sagte sie. «Unbedingt, du musst uns besuchen kommen!» Ich weiß noch, wie ich dachte: Das klingt schon ganz amerikanisch. Als ich ein Jahr später vor ihrer Tür stehe, holt mich allerdings die Schweiz wieder ein. Plötzlich frage ich mich, ob das eine gute Idee war, wir kennen uns doch gar nicht mehr, sie ist frisch verheiratet, ich will ihr nicht lästig fallen, was, wenn wir uns gar nichts zu sagen haben? Vorsichtshalber habe ich mich nur für drei Tage angemeldet. Drei Tage, das weiß man, bleibt der Fisch im Kühlschrank frisch und die Gesellschaft der Gäste erträglich.

Doch eine halbe Stunde später verabschiedet sich die innere Schweizerin wieder. Wir sitzen auf der Veranda, trinken Bier, reden und reden nicht, schauen über das Land hinaus. Eine unendliche Weite, so scheint es mir.

«Komm, ich zeig's dir, bevor die Sonne untergeht.» Susanne geht voraus durch das kniehohe Gras. «Müsste man auch wieder mal mähen», sagt sie und grinst. «Das ist meine absolute Lieblingsbeschäftigung hier: mit dem Motorrasenmäher rumzutuckern!»

Wir schreiten ihr Land ab – eine großartige Formulierung, aber hier passt sie. Susanne kennt jeden Grashalm, jeden Stein. Ich habe noch nie eine solche Landschaft gesehen, sie ist lieblich und ursprünglich zugleich. Als könnten jeden Moment Dinosaurier durch das kniehohe Gras stampfen. Wenn wir uns nur kurz umdrehten, würde die Natur in unserem Rücken sofort jede Spur unseres Aufenthalts hier verwischen. Alles wächst grüner hier, üppiger und dichter als anderswo. Die Insekten sind größer, die Blumenblüten auch. Grillen zirpen, jemand übt auf der Geige, und irgendwo bellt ein Hund. Langsam färbt sich der Himmel rosa, auch die Farben sind üppiger, dichter.

Eine Nachbarin kommt uns entgegen, Susanne unterhält sich mit ihr, erkundigt sich nach ihrem Mann. Ihr Englisch hat bereits die weiche, verwischte lokale Färbung angenommen, sie sprenkelt ihre Sätze mit dem kreolischen Kosenamen «cher» – Liebe, Lieber.

Ich weiß nicht, wann ich zuletzt jemanden gesehen habe, der so offensichtlich am richtigen Ort ist wie Susanne. Sie gehört hierher. Nicht nach Amerika, nicht in die Südstaaten, nicht nach New Orleans, nein, ganz spezifisch in diese Gegend, Süd-Louisiana, Cajun Country. Was ist es? Die Landschaft, die Leute, die Musik? Alles miteinander?

«Es ist total unamerikanisch», sagt sie. Das sagen wir Europäer immer, wenn es uns irgendwo in Amerika besonders gut gefällt: «Es ist so europäisch. So gar nicht amerikanisch.» Als wollten wir uns dafür rechtfertigen. Dabei ist Amerika einfach anders, anders als wir gedacht hätten. Amerika ist alles und das Gegenteil von allem. Amerika ist vor allem das, was wir uns nicht unter Amerika vorstellen. Wie diese altmodische Höflichkeit, die im südlichen Louisiana ganz alltäglich ist. Und die dem Alltag, der für die meisten Bewohner nicht unbedingt leicht ist, eine gewisse Eleganz verleiht.

Wir gehen zum Haus zurück und setzen uns für den allerkitschigsten aller vorstellbaren Sonnenuntergänge noch einmal auf die Veranda. Das Haus ist wunderschön, ein altes, hellblau gestrichenes Sharecropperhaus, das sie eigenhändig renovieren. «Das Schlafzimmer ist gestern fertig geworden», sagt Susanne. «Du kannst also das Gästezimmer haben.» Im Moment ist die hintere Veranda in Arbeit. Als ich morgens aufstehe, steht schon ein Frühstück für mich bereit. Selbstgebackenes Brot, Honig, Kaffee. Das Brot ist absolut köstlich. So etwas kann man hier nicht kaufen. Susanne erzählt mit leicht ironischem Unterton, dass eine gesundheitsbewusste Amerikanerin sie misstrauisch fragte, ob sie da etwa Gluten reingetan habe.

Es ist heiß und feucht, aber weniger drückend als in New Orleans. Der Lebensrhythmus langsam. Wir sitzen auf der Veranda, Freunde kommen vorbei, setzen sich dazu, es werden Pläne geschmiedet für später, für den Abend, für das Wochenende. Irgendwann steht man wieder auf, nimmt den Pinsel in die Hand oder den Hammer und arbeitet weiter.

«Wir könnten hier eine Burn-out-Klinik eröffnen», sagt Doug. «Das Breaux-Bridge-Slow-down-Programm!» Jeder, der herkommt, entspannt sich. Man kann sich in dieser Hitze nicht beeilen. Susanne hat sich nicht beeilt. Sie hat den richtigen Zeitpunkt abgewartet. Zwanzig Jahre lang wusste sie, dass sie hier leben wollte. Jedes Jahr kam sie hierher, um ihr Geigenspiel zu verbessern. Ich wusste noch nicht einmal, dass sie die Cajun Fiddle spielt – und zwar gut. Schon gar nicht wusste ich, was es hier bedeutet, Musik zu machen. In einem dieser Musikworkshops hat sie Doug kennengelernt. Schon bei der ersten Begegnung haben sie «ein Gespräch begonnen, das bis heute nicht abgebrochen ist». Zwei Jahre führten sie eine Fernbeziehung, bevor sie mit ihm ihren alten Traum verwirklichte: die kalte, graue und rhythmusarme Schweiz zu verlassen, um in Lousiana zu leben. Dann war auch plötzlich das richtige Haus da. Bezahlbar, renovierungsbedürftig, ein seltenes Juwel. Die meisten dieser alten Pächterhäuschen wurden längst abgerissen oder so oft überbaut, dass die einfache, traditionelle Struktur zerstört ist. Dieses Haus hat seine klaren Linien behalten, während es auf Susanne und Doug wartete. Stolz steht es zwischen zwei Trailern wie eine gealterte Tänzerin zwischen zwei übergewichtigen Teenagern. Das richtige Haus am richtigen Ort und mit dem richtigen Mann. Zehn Jahre früher oder ein Jahr später – und alles wäre anders gewesen.

Wann ist der richtige Zeitpunkt? Nach dem Ende meiner Ehe habe ich oft mit meiner Entscheidung gehadert, in die Schweiz zurückzukehren. Nicht weil ich die Schweiz nicht mag – aber mir ging es gut in San Francisco. Ich war dort zu Hause. Aber ich wollte die Familie zusammenhalten. Ich wollte verheiratet bleiben. Der Umzug könnte die bereits brüchige Beziehung retten, dachte ich damals. Ich hätte es besser wissen müssen.

Es bringt nichts, in die Vergangenheit zu schauen und sie umzuarrangieren wie die Möbel in einer Puppenstube – und doch konnte ich es in der ersten Zeit nach der Trennung nicht verhindern. Dass ich dachte: Wäre ich doch einfach geblieben! Was hätte ich mir – uns – erspart. «Was wäre, wenn …» ist ein guter Ansatz, um eine Geschichte zu schreiben. Fürs Leben taugt er nichts. Und jetzt, als ich Susanne anschaue, die im kniehohen Gras steht, eine Hand in die Hüfte gestützt, die andere zum Schutz vor der Sonne über den Augen, die über ihr Land schaut und zurück zu ihrem Haus und in diesem Moment beschließt, es sei Zeit, das Gras zu mähen – jetzt denke ich zum ersten Mal: Es wird schon alles seinen Sinn haben.

Susanne bezeichnet sich gern als «die unromantischste Frau der Welt». Sie trägt am liebsten einen farbverschmierten Overall und ist am glücklichsten, wenn sie mit ihrem motorbetriebenen Rasenmäher über das Feld tuckert. Oder eben, wenn sie Musik macht. Seit sie hier lebt, spielt sie jeden Tag die Cajun Fiddle und geht jeden zweiten Abend tanzen. Erst verstehe ich gar nicht, wie das abläuft: «Hast du morgen ein Konzert?», frage ich. Sie zuckt mit den Schultern. «Mal sehen, was läuft.» Irgendwo wird immer Musik gemacht. Erst nachmittags, wenn die Freunde auf der Veranda sitzen, werden die Pläne für den Abend besprochen: «Wer spielt heute im Café des Artistes?», «Fährt jemand nach Lafayette?»

Man klemmt sich seine Instrumente unter den Arm und fährt hin, hört zu, spielt mit. Stühle werden im Halbkreis aufgestellt, manchmal sitzen mehr Musiker auf der Bühne als Zuhörer davor. Und oft tauschen sie ihre Rollen. Nach zwei Tagen erkenne ich die meisten Gesichter wieder. Menschen, die von überall hergezogen sind, aus Liebe zur Musik. Und so ist immer die erste Frage, die man mir stellt: «Welches Instrument spielst du?»

«Die Feder», sage ich. Ich versuche mir vorzustellen, es gäbe eine Gegend, in der sich Schriftsteller so zwanglos treffen, unterhalten und zusammenarbeiten würden. Da würde ich sofort hinziehen.

An einer Geburtstagsfeier sitze ich mit den alten Damen am Rand der Tanzfläche. Susanne macht sich zum Spielen bereit. «Schau dir die alten Paare an», sagt Susanne zu mir. «Wer regelmäßig miteinander tanzt, bleibt verliebt.» Und schon hat sie einen charmanten Tanzpartner für mich organisiert. Doch ich kenne die Schritte nicht, stelle mich ungeschickt an, verkrampfe mich. Auch wenn sich Juan, ganz Gentleman, für jeden Tanz mit einer Verbeugung bedankt, schäme ich mich.

Ich sehe, was Susanne meint. Aber ich fühle mich ausgeschlossen. Ich müsste einen Tanzkurs nehmen, denke ich. Ich müsste flache Schuhe tragen. Ich müsste, ich sollte ...

Juan taucht wieder auf, fordert mich zum Tanzen auf: «Das ist ein Walzer, das kannst du!» Als ich zu meinem Platz zurückgehe, nimmt mich ein rotgesichtiger alter Mann am Arm und grinst mich an. «Na ja», sagt er. «Man kann die Stiefel zwar auf die Tanzfläche führen, aber tanzen lassen kann man sie nicht!»

Am nächsten Tag, als wir uns wieder zum Ausgehen bereitmachen, sitzt Susanne auf dem Fußboden und putzt ihre Tanzstiefel. Sie ist ganz konzentriert. Ihr Rücken ist gekrümmt, das Haar hängt über ihr Gesicht, verdeckt die märchenblauen Augen. Doug, der mir gerade noch seine Stiefel zeigen wollte, verstummt mitten im Satz. Versinkt in ihren Anblick. Eine alte Eifersucht steigt in mir auf: Warum bin ich nie gut genug? Warum liebt mich niemand genau so, wie ich bin? «Ich hatte nie das Gefühl, mit dir den ersten Preis gewonnen zu haben», hat mein Exmann einmal gesagt. Ich schüttle die Erinnerung ab. Was hat Daphne gesagt? «You teach people how to treat you!»

An meinem letzten Tag spazieren wir an den verästelten Ufern des Lake Martin entlang. Direkt vor unseren Füßen gleitet ein Alligator ins Wasser, taucht unter, taucht wieder auf. Blinzelt langsam, mit diesen reglosen Augen. Komischerweise habe ich keine Angst. Doch in diesem See leben nicht nur Alligatoren. In diesem See nisten auch Reiher. Hunderte, vielleicht Tausende. Ich habe noch nie so viele Reiher gesehen. Und ich weiß: Wer einen Reiher sieht, darf sich etwas wünschen. Und so wünsche, wünsche, wünsche ich, bis ich leer bin. Ausgewünscht.

Gegen Abend fahre ich auf der sechsunddreißig Kilometer langen Autobahnbrücke über das Atchafalaya Basin zurück Richtung New Orleans. Das Basin ist eine urtümliche, endlose Wasserlandschaft. Baumkronen ragen aus dem dunkelgrünen Wasser, winzige Inseln. Es fühlt sich an, als führe ich direkt durch den Sumpf. Die Leitplanken scheinen mir außerordentlich niedrig. Meine Hände krampfen sich um das Lenkrad. Schon sehe ich mich von der Brücke fallen, im Wasser versinken, von Alligatoren gefressen werden. Viel Phantasie zu haben ist nicht immer und in jeder Situation von Vorteil. Ich schaue starr geradeaus. «Das Lenkrad folgt den Augen», sagte Judy immer, meine Fahrlehrerin bei «Fearless Driving». Ich habe erst mit sechsunddreißig Auto fahren gelernt, notgedrungen, in San Francisco. Damals weigerte ich mich, Autobahnen zu benutzen oder über Brücken zu fahren. Was meinen Bewegungsradius in einer Stadt, die auf drei Seiten von Wasser umgeben ist, doch ziemlich einschränkte. Und heute fahre ich über diese *Swamp*-Brücke, als wäre es nichts. Na ja, fast nichts.

Ich bin weit gekommen. In jeder Hinsicht. Plötzlich entspanne ich mich. Im Autoradio werden Oldies gespielt, ich drehe lauter, singe mit. Ich glaube, ich habe es endlich begriffen: Es geht nicht darum, einen Mann zu finden, der mich so liebt, wie ich bin. Der nicht von mir verlangt, mich zu verbiegen. Es geht darum, dass ich mich nicht verbiege, dass ich so bin, wie ich bin, dass ich mich selber gerne mag. Und wie auf Befehl zerschneidet nun die glasklare Stimme der jungen Sinéad O'Connor die Luft: «Nothing compares 2U …» Wo sie recht hat, denke ich und singe aus vollem Herzen mit. Und plötzlich stimmt die innere Romantikerin mit ein, und ich bin einfach glücklich. Ganz für mich allein.

Der Fluch von San Francisco

Im Flugzeug nach Dallas sitze ich neben einem Schweizer Ehepaar, das nach San Francisco weiterfliegt. Eine heftige Sehnsucht nach meiner Stadt überfällt mich. Es wird noch eine Weile dauern, bis ich sie wiedersehe. Gleichzeitig hat diese Sehnsucht schon etwas Nostalgisches, als sei San Francisco nicht meine Zukunft, sondern meine Vergangenheit.

Als wir nach acht Jahren in dieser Stadt in die Schweiz zurückzogen, war für jeden außer mir klar: Das Kapitel San Francisco ist abgeschlossen. Schön war's, danke, tschüss. Das kleine Haus oben auf dem Hügel sollte ich verkaufen, meine Schulden abzahlen, vielleicht sogar etwas übrig haben. Mein damaliger Mann wünschte sich ein Ferienhaus in Irland. Doch ich blieb störrisch. Wider alle Vernunft hielt ich an dem Haus fest. Es war mein Zuhause gewesen. Eines Tages wollte ich dahin zurückkehren. Mindestens zeitweise.

Jahrelang schien es, als sollten alle anderen recht behalten, alle, die sagten: «Was willst du noch mit diesem Haus? Was soll das denn? Du hast doch nur Ärger damit!» Dabei hatte es gut angefangen. Kurz vor unserer Abreise erfuhr ich, dass eine Familie, mit uns verbunden über Cyrils Schule, dringend ein Haus suchte. Sigal, die Mutter, eine israelische Künstlerin mit intensiven blauen Augen, kam zur Tür herein, schaute sich um, nickte. «Wir nehmen es», sagte sie. Noch bevor sie mehr als den Eingang gesehen hatte.

«Willst du es dir nicht erst anschauen?»

Sie schüttelte den Kopf. «Nicht nötig. Ich liebe dein Haus so sehr, ich möchte es auf den Rücken schnallen und überall hin mitnehmen!», sagte sie. Genauso hatte ich damals auch reagiert, als ich mein Haus zum ersten Mal betrat. Ich umarmte sie, und das war es. Doch ein Jahr später wollten sie schon wieder weg, zurück nach New York. Ich musste also neue Mieter finden. Cyril und ich wollten die Sommerferien sowieso in San Francisco verbringen, er würde seine Freunde besuchen, ich konnte mich um das Haus kümmern, das nun leer stand bis auf das Bett, das ein Freund für mich gezimmert hatte, haargenau in die Dachschräge eingepasst. «Das kannst du aber nirgendwo anders aufstellen», sagte er damals. Und ich: «Warum sollte ich? Ich werde auch nie mehr woanders wohnen!»

«Willst du Gott zum Lachen bringen», besagt mein bevorzugtes Sprichwort, «dann erzähl ihr von deinen Plänen!» Ich borgte mir Bettwäsche, Handtücher, etwas Geschirr. Eigentlich wollte ich das Haus möblieren, monateweise vermieten, zweimal im Jahr selber zurückkommen, mit meinen Söhnen, später könnten sie es allein nutzen, mit ihren Freunden, Freundinnen. Ein Ferienhaus halt, einfach am anderen Ende der Welt. Doch das stellte sich als zu kompliziert heraus. Wer würde sich um die ständig wechselnden Mieter kümmern? Vorläufig war mein Alltag außerdem zu sehr von der Schule geprägt. Mehr als ein paar Wochen im Sommer lagen gar nicht drin. Also entschied ich mich, das Haus noch einmal für ein paar Jahre fest zu vermieten. Es würde, dachte ich damals, auf mich warten. Ich rief ein befreundetes Paar an, das sich schon letztes Jahr dafür interessiert hatte. Sie sagten sofort zu. Das war einfach, dachte ich.

Nennen wir ihn Joe. Joe ist eine komplett erfundene Figur – es gibt auf der ganzen Welt niemanden, auf den die folgende Geschichte zutrifft, und auch die Geschichte selbst ist ganz und gar an den Haaren herbeigezogen, viel zu irr, um nicht erfunden zu sein. Joe war ein *Contractor* in San Francisco, eine Art Bauführer, der mir von Freunden empfohlen wurde. Er stellte das Haus für die nächsten Mieter bereit, strich die Wände, besserte hier und da etwas aus. Er arbeitete zuverlässig und genau – schweizerisch halt. Ab und zu unterhielten wir uns, wir verstanden uns ganz gut. Eigentlich sei er Künstler, sagte er. Eigentlich habe er andere Pläne, als Häuser zu renovieren. Aber es sei gutes Geld.

Vier Tage vor meiner Rückreise in die Schweiz hatte das befreundete Paar seine Meinung geändert. Sie wollten nun doch nicht umziehen. Einen Moment lang ergriff mich Panik. Wie sollte ich in vier Tagen einen Mieter finden? Joe machte einen überraschenden Vorschlag: Er stecke mitten in den Scheidungsverhandlungen und brauche dringend einen Ort zum Wohnen, allerdings könne er sich die Miete nicht leisten. Aber er würde die Hälfte bezahlen und die andere Hälfte abarbeiten.

Was für eine großartige Idee! Wir stellten eine Liste der anstehenden Arbeiten auf, sortierten sie nach Dringlichkeit und machten einen Vertrag für ein Jahr, der dann alle drei Monate erneuerbar wäre. Er habe das mit seinem Anwalt angeschaut, sagte Joe. Da hätte ich nun sagen müssen: «Gute Idee, das mach ich auch, gib mir zwei Tage.» Doch das sagte ich nicht. Ich unterschrieb einfach. Erleichtert, eine so gute

Lösung gefunden zu haben. «Wenn du mich übers Ohr haust, hast du keine Freunde mehr», sagte ich, mehr im Scherz. Die ersten paar Monate ging alles gut. Joe schrieb begeisterte Mails vom «little house on the hill». Dann wurden die Mails spärlicher. Ich begann mir Sorgen zu machen. Er schickte keine Berichte mehr, keine Fotos, antwortete nicht auf meine Mails, nahm das Telefon nicht ab. Ich übergab die Sache meiner damaligen Agentin. Sie erreichte immerhin, dass Joe ihr antwortete. Doch seine Mails ließen das Schlimmste befürchten. Sie waren wirr, anklagend und aggressiv.

Am Ende des vereinbarten Jahres war die Situation schon vollkommen verfahren. Als ich das nächste Mal nach San Francisco flog, hatte ich die Absicht, Joe zu sagen, dass ich den Vertrag nicht erneuern würde. Doch da stellte sich heraus, dass ein Mietvertrag in San Francisco nach zwölf Monaten nicht mehr kündbar ist. Es sei denn, die Miete wird nicht bezahlt. Doch da Joe die Hälfte immer pünktlich überwies, konnte ich nichts machen. Dass er die verabredeten Arbeiten nicht ausführte, stand auf einem anderen Blatt.

«Warum haben Sie das bloß unterschrieben?», fragte der Anwalt, den ich dann schließlich doch noch aufsuchte, und schaute von meinem Vertrag hoch. Gute Frage. Ich hatte keine Antwort. Und auch die Freunde, die für Joe gebürgt hatten, zuckten nur mit den Schultern: «Niemand hat mehr Kontakt mit ihm», sagten sie. «Sogar in unserer Stammbar hat er Hausverbot. Der Typ ist durchgedreht. Vermutlich nimmt er Drogen.»

Jetzt erfuhr ich auch, dass er keineswegs mitten in der Scheidung, sondern bereits seit achtzehn Monaten geschieden war, als ich ihn kennenlernte. Er hatte sich einfach geweigert, bei seiner Exfrau auszuziehen. Wie jetzt bei mir. Ich konnte also nur hoffen, dass er bald ein neues Opfer finden würde.

Die nächsten Jahre waren ein Albtraum, obwohl meine damalige Agentin die unangenehmsten Telefonate übernahm. Nur einmal sah ich Joe noch. Ich hatte eine Inspektion des Hauses verlangt, nachdem er die Schlösser ausgewechselt hatte. Joe hatte eine Postkarte mit einem Totenkopf darauf an die Tür geheftet. «Willkommen, Milena, ghost of christmas spirit!» stand darauf.

Ich weinte, als ich den schwarzverbrannten Garten sah. Das Haus hingegen sah gut aus, Joe hatte Änderungen vorgenommen, wo sie ihm dienten, die Toilette versetzt, ein neues Badezimmergestell gebaut – alles auf meine Kosten. Eine optimistische Freundin hatte noch gemeint, ich solle ihm einfach in die Augen schauen, dann werde er schon zu sich kommen. Doch als ich ihn anschaute, sah ich, dass er wirklich glaubte, ich tue ihm Unrecht. Und nicht er mir.

Warum verkaufte ich anschließend das Haus immer noch nicht? Wann würde ich je hier leben können? Es dauerte Jahre, bis er endlich auszog, doch dann verklagte er mich auf eine halbe Million Dollar Schadenersatz, unter anderem dafür, dass ich ihn gezwungen hätte, unter menschenunwürdigen Umständen in einem nicht bewohnbaren Haus zu leben. Außerdem sei er eine baufällige Treppe hinuntergefallen, deren Stufen zu begradigen ganz oben auf unserer Liste stand. Nach dem Sturz sei er schmerzmittelabhängig geworden, arbeitsunfähig und in seinen «sexuellen Funktionen eingeschränkt». Alle meine Belege und Verträge und E-Mails, die seine Vorwürfe widerlegten, nützten nichts. Der Fall wurde weitergezogen. Seit sechs Jahren ging das nun so. Den zweiten Teil meiner Reise würde ich in San Francisco beginnen, mit Terminen beim Anwalt, bei der Versicherung.

Seit sieben Jahren bin ich nicht mehr in meinem Haus gewesen, und doch liebe ich es noch. Ich dachte immer, ich würde irgendwann zurückkehren. Nach San Francisco. In mein Haus, in mein früheres Leben, das ich nicht ganz freiwillig zurückgelassen hatte. Mit jedem Jahr, das verging, rückte dieses Vorhaben mehr in den Hintergrund. Was einmal ein konkreter Plan für die Zukunft gewesen war, hatte sich zu einem schwer realisierbaren Traum gewandelt. Ich redete zwar immer noch davon: «Eines Tages ziehe ich zurück!» Aber es klang immer mehr wie: «Eines Tages gewinne ich im Lotto!»

Susanne fällt mir ein, wie sie im Gras steht hinter ihrem Haus, und zum ersten Mal denke ich: Es muss nicht um jeden Preis San Francisco sein. Ich könnte überall leben. Überall, wo ich ein Zuhause habe. Die Frage ist mehr: Was ist zu Hause? Zu Hause ist, wo das Herz ist. Zu Hause ist, wo meine Söhne sind. Zu Hause ist mein Schreibtisch. Vielleicht mehr als alles andere. Das Einzige, was sich nie verändert hat im Verlauf meines Lebens. Ob ich verheiratet bin oder geschieden, ob ich kleine Kinder habe oder erwachsene: Ich bin jemand, der schreibt. Heißt das, ich könnte überall leben, wo ich einen Schreibtisch habe?

Muss es überhaupt Amerika sein? Warum gefällt es mir hier so gut? Ich kann es nicht erklären. In San Francisco habe ich acht Jahre lang Steuern bezahlt, hatte aber nicht das Recht zu arbeiten. Ich musste zweimal zuschauen, wie Bush gewählt wurde, ich schickte meine Kinder auf Privatschulen, ich bezahlte meine Mammographie und andere Vorsorgeuntersuchungen selber. Ich holte meine Kinder mit dem Auto von der Schule ab, ich las in der Zeitung, dass ein Nachbarsjunge erschossen worden war. Ich habe dieselben Vorbehalte wie alle meine Schweizer Freunde, und doch ... Wenn ich sage, ich fühle mich hier frei, klingt es wie ein Klischee. Wenn ich sage, hier kann ich atmen, ist das kitschig. Aber so ist es einfach. Anders kann ich es nicht in Worte fassen. Tut mir leid!

In Dallas stürmt es, das Flugzeug bleibt lange auf dem Boden, wir haben am Ende über zwei Stunden Verspätung. Ich sitze zwischen einem angehenden Psychologen, der mir treuherzig erklärt, dass einige der Verhaltensweisen, die er bei unseren Mitpassagieren beobachtet, in seinen Vorlesungen behandelt wurden, und einer pensionierten Armeeoffizierin. Jodie, die mit ihren kurzen grauen Haaren und ihrer zackigen Art ganz meiner Vorstellung von einer Soldatin entspricht, redet die ganze Zeit auf mich ein. Sie war lange in New Mexico stationiert, sie kennt sich aus. Ihre Vorschläge klingen wie Befehle: «Fahr diese Straße entlang! Halte dort an! Bestell das!» Ihr Geheimtipp ist Madrid, auf der ersten Silbe betont. Eine alte Minenstadt am Turquoise Trail, ein beliebter Zwischenhalt auf Motorradtouren. «In der Mine Shaft Tavern musst du den Green Chile Cheeseburger bestellen ...» Plötzlich wird Jodies Stimme wehmütig. «Ich habe immer noch ein kleines Ferienhaus dort», sagt sie. «Als ich bei der Armee war, brauchte ich das einfach. Ich musste mich regelmäßig unter die Verrückten, die Ausgeflippten, die Hippies mischen, das war mein Ausgleich zum militärischen Alltag.»

Eine Flugbegleiterin bringt eine Schachtel mit Getreideriegeln, sie jauchzt fast: «Gute Nachricht! Weil wir schon zwei Stunden festsitzen, darf ich jetzt die Notrationen verteilen!» Ich nehme keinen, dafür wird mir später schlecht, als das Flugzeug über die Berge steigt und dann abrupt nach Albuquerque absinkt. Jemand nimmt meine Hand, es ist nicht der junge Psychologe, sondern die zackige Jodie. Sie lässt meine Hand auch nicht los, als wir aussteigen, sie zieht mich zur Gepäckausgabe weiter und vergewissert sich unterwegs, dass ich mir alles gemerkt habe, was sie gesagt hat. Der Flughafen von Albuquerque ist mit türkisen und ockerfarbenen Ornamenten verziert, er sieht ganz anders aus als der Flughafen in San Francisco oder New Orleans oder sonst wo. Unamerikanisch, denke ich und grinse. Die Fahrt nach Santa Fe dauert noch über eine Stunde. Die Straße zerschneidet die Bergkette, die karge Landschaft ist mir seltsam vertraut. Ich verfahre mich ein paarmal. Es ist dunkel, als ich bei Katchie ankomme. Ich bin todmüde.

«Das ist die Luft», sagt sie.

Dünne Luft: Katchie und Joshua

Luft!, das ist mein erster Eindruck. Endlich atmen. Die Luft ist klar und dünn und trocken. Im Engadin, auf einer ähnlichen Höhe über Meer wie hier, nennt man sie Champagnerluft. Nach der drückenden Schwüle von Louisiana eine große Erleichterung. Das ist mein Klima, denke ich. Ich stehe früh auf, Katchie macht mir einen Smoothie, etwas Gesundes. Der Hund spielt, der Himmel ist weit, endlos weit. Zwei Hängematten im Hof. Sie ist glücklich hier, denke ich. Ich merke es.

Katchie ist ursprünglich Schweizerin, lebt aber seit über zwanzig Jahren in den USA und ist eine der bekanntesten westlichen Yogalehrerinnen: Ich habe sie damals in San Francisco kennengelernt. Als ich schon wusste, dass wir wieder in die Schweiz zurückziehen würden. Eine befreundete Korrespondentin, die mehr Erfahrung mit Ortswechseln hatte als ich, riet mir damals, keine neuen Freundschaften mehr zu schließen, keine neuen Orte mehr kennenzulernen. «Das wäre reiner Masochismus», sagte sie. Doch mir fehlte ihre

Disziplin. Ich lebte jeden Tag in San Francisco so, als würde ich ewig dort bleiben.

Eines Tages klingelte das Telefon, es war Katchie. In breitestem, etwas altmodisch gefärbtem Berndeutsch erklärte sie mir, dass sie mein Buch *Schlampenyoga* gelesen habe und glaube, nein, sich sicher sei, dass ihre Stunden genau das Richtige für mich wären. Damals unterrichtete sie im angesagten Mission District in ihrem eigenen Studio, das sie später verkaufte. In ihre Klassen drängten sich siebzig, achtzig Schüler – und sie begrüßte alle mit ihrem strahlenden Lächeln – ihr Markenzeichen. Niemand hat ein größeres Lächeln als Katchie. Es füllt den ganzen Raum und berührt doch jeden Einzelnen persönlich. Wie auch ihre Kommentare während der Stunde jeden Einzelnen persönlich meinen. Das fiel mir sofort auf. Sie erinnerte sich an Namen, an Prüfungstermine und Ferienpläne. Schüler brachten ihre Mütter mit, die gerade zu Besuch waren und in Strumpfhosen zum Yoga antraten. Diese hatten genauso Platz in Katchies Klasse wie die gummigelenkigen angehenden Yogalehrerinnen, die sie ausbildete.

Sie war gerade aus der Schweiz zurückgekommen und hatte sich dort mit Schokolade eingedeckt. So saß sie im Lotossitz vor ihrem Harmonium und naschte ungeniert von einer angebrochenen Tafel Lindt-Nuss. Ein Verhalten, das in der Schweiz normal sein mag, aber in der fast fanatisch gesundheitsbewussten nordkalifornischen Yogaszene so radikal wirkt, als würde sie direkt vor der Stunde eine Zigarette rauchen. Und einige Schüler schauten entsprechend schockiert. Katchie ließ sich davon nicht beirren. «Ich brauche Schokolade, das steckt in meinen Genen», erklärte sie fröhlich. Deshalb hatte sie auch die Decke des Yogastudios schokoladenbraun gestrichen. Wenn wir auf dem Rücken lagen und zur

Decke hinaufschauten, sahen wir den Himmel als gigantische Schokoladentafel. Das entsprach mir sehr. Nach der Stunde gingen wir zusammen einen Kaffee trinken und vergaßen darüber die Zeit. Vier Stunden später klingelte mein Telefon: «Wo steckst du, wir haben Gäste!» Das war der Anfang einer ganz besonderen Freundschaft, die durch meine bevorstehende Rückkehr in die Schweiz eine gewisse Dringlichkeit annahm. Nach der Yogastunde gingen wir nun immer einen Kaffee trinken, und bevor wir uns versahen, waren zwei Stunden vergangen, Parkbußen klebten an den Windschutzscheiben, Handys piepsten vorwurfsvoll. Wir wurden die Art von Freundinnen, die keine Zeit für Smalltalk haben. Wenn wir zusammen sind, geht es immer gleich ums Wesentliche.

Ein paar Jahre später lud sie mich zu ihrer Hochzeit ein. Ich saß mit gekreuzten Beinen auf dem Fußboden und verfluchte mein schickes Kleid aus der Schweiz. Ich hätte mir denken können, dass eine nordkalifornische Hochzeit auf dem Boden gefeiert wird. Ich hörte den Reden zu, den selbstverfassten Ehegelübden und dachte wieder, was ich schon oft gedacht hatte: Joshua ist im Grunde seines Herzens schweizerischer als Katchie selber. Pünktlich, zuverlässig und gewissenhaft. Sagt nicht viel, aber wenn, dann meint er, was er sagt. Schließt nicht schnell Freundschaften, aber wenn, dann halten sie. Katchie hingegen verkörpert alles, was ich mit Amerika verbinde: einen wilden Freiheitssinn, den unerschütterlichen Optimismus und das fast schon sture Beharren auf einer eigenen Vision vom Glück und auf dem Recht, diese zu verfolgen.

Katchie hat ein Stück Schweiz geheiratet, dachte ich, als ich ihren Gelübden zuhörte. Ein Stück Heimat. Ich dachte an ihre beinahe magische Geschichte: Nach einem großen Liebeskummer kaufte Katchie sich ein Paar silberne Eheringe und steckte sie auf zwei der vielen Arme einer Statue des tanzenden Hindugottes Shiva. Jeden Tag, so erzählte sie mir, betete sie vor dieser Statue: «Lass mich meinen Seelenverwandten finden!» Und wenn sie nach Bern flog, um sich um ihre krebskranke Mutter zu kümmern, sagte sie zu ihr: «Du darfst nicht sterben, bevor ich ihn gefunden habe. Du darfst mich nicht allein lassen!»

Eines Tages erzählte eine Freundin, sie habe in einem Café einen Typen kennengelernt, der gut zu Katchie passen würde. «Schick ihn in meine Yogastunde», sagte diese. Dann dachte sie nicht mehr daran. Doch ein paar Tage später sah sie vor dem Fenser des Yogastudios einen hochgewachsenen Mann vorbeigehen, der sein rötlich blondes, langes Haar zu einem Zopf gebunden hatte. Katchie stutzte und schaute ihm nach: Warum geht der bloß vorbei und kommt nicht herein?, dachte sie. Kurz darauf trat er ein. Es war Joshua, der Mann, den ihre Freundin im Café kennengelernt hatte. Nach der Stunde gingen sie einen Kaffee trinken. Ein paar Tage später telefonierte Katchie mit ihm, während sie zu ihrem Auto ging, und als sie hochblickte, kam er ihr entgegen, das Telefon am Ohr, zehn Meter von ihr entfernt. Als sie sich zum ersten Mal zum Abendessen verabredeten, legte Katchie all ihre Karten auf den Tisch. «Ich bin eine starke Frau», sagte sie. «Damit haben manche Männer ein Problem. Und du?» Wie es seine Art ist, antwortete Joshua nicht sofort. Schließlich erklärte er, dass er seine Wurzeln im Stamm der Mohawk habe, der von Frauen geführt werde und wo Frauen die Macht innehätten. Er sei sich also starke Frauen gewohnt, seine Mutter sei schließlich auch eine gewesen. Doch Katchie war noch nicht fertig: «Und zweitens bin ich an einer unverbindlichen Beziehung nicht interessiert. Ich wünsche mir eine Beziehung, wie Wölfe sie eingehen. Wölfe gehen ihren eigenen Weg, sind sich aber ein Leben lang absolut treu verbunden.»

Dazu muss man wissen, dass Verabredungen in Amerika seltsam archaischen Regeln folgen, die mir auch nach acht Jahren in diesem Land fremd sind. Das Liebeswerben ist ein derart streng strukturiertes Ritual, dass ich oft dachte, es ist ein Wunder, wenn zwei sich trotzdem finden. Zum Beispiel darf eine Frau unter keinen Umständen Interesse zeigen oder einen Mann gar anrufen. Kommt dennoch ein erstes Treffen zustande, dient es dem Abhaken der Checkliste. Wie viel verdient er?, steht er zuoberst auf der Liste der Frauen?, was sind seine Zukunftschancen?, ist er bereit für eine feste Bindung?, will er Kinder haben, wenn ja, wie viele? Auf der Liste der Männer steht: Ist sie unkompliziert, sexy, fun? Also geben sich die Männer ernsthafter, als sie sich fühlen, die Frauen leichtherziger, als sie in Wahrheit sind. Keiner gibt zu erkennen, was er wirklich will. Wenn man sich gegenseitig vom Gegenteil dessen, was man eigentlich will, überzeugt hat, wird eine zweite Verabredung erwogen. An deren Ende kommt es zum Abschiedskuss. Die Chemie muss getestet werden, denn bei einem dritten Treffen wird Sex erwartet, endlich – oder schon?

Wie auch immer, Katchies Verhalten war vollkommen regelfremd. Doch der zwölf Jahre jüngere Joshua blieb gelassen. «Wenn du schon von Wölfen sprichst: Ich habe einen Teil meiner Kindheit im Indianerreservat verbracht. Mein indianischer Name ist Okwahoshatse, was so viel wie ‹Starker Wolf› bedeutet.» Am Schluss des Abends holte Katchie die Ringe aus der Tasche, die sie vorsorglich eingesteckt hatte, und legte sie auf den Tisch. Joshua steckte sich den größeren an, er passte wie angegossen; er trägt ihn heute noch. Kurz darauf flog Katchie zurück in die Schweiz und erzählte ihrer Mutter von Joshua – worauf ihre Mutter starb.

Katchie und Joshua heirateten ein paar Jahre später an ihrem Todestag.

»Und dabei haben mir immer alle gesagt, in der San Francisco Bay Area könne man nie einen Mann finden», lacht sie. «Schließlich sind hier alle schwul oder verheiratet!»

Nun leben Katchie, Joshua und ihr Hund Leelough seit über einem Jahr in Santa Fe. Am Anfang war es schwer. Hier hatte niemand auf sie gewartet. Katchie vermisste ihre überfüllten Wochenstunden, die sie vorher so belastet hatten.

«Wieso beklagst du dich?», frage ich, träge in ihrer Hängematte liegend und in die Ferne schauend, wo die blauen Bergketten wie Scherenschnitte den Horizont einrahmen. Ich weiß nicht, warum mich diese Landschaft so berührt. Warum sie mir so vertraut erscheint. Katchie passt schon rein optisch hierher, denke ich. Sie sieht aus wie eine Indianerin mit ihrem glatten, dunklen Haar und dem stolzen Profil. Mehr als ihr Mann mit dem indianischen Blut. Ich kann sie direkt vor mir sehen, wie sie in einer fransengeschmückten Lederjacke auf einem kleinen, gescheckten Pferd durch eine Arroya galoppiert. Die dünne Luft macht mich atemlos und kribbelig. Besorgt achtet Katchie darauf, dass ich genug Wasser trinke. Sie mischt Kokosöl in unseren Morgen-Smoothie, um unsere Haut zu schützen. Plötzlich sehe ich uns dreißig Jahre später an genau diesem Ort sitzen, zwei weißhaarige Weiber mit Knittergesichtern, die beim Versuch, sich aus den Hängematten zu hieven, in haltloses Kichern ausbrechen.

«Jetzt hast du endlich Zeit, dein Buch zu schreiben», sagte ich. «Ohne die ständige Ablenkung. Außerdem hast du dich doch immer über die Überlastung deiner Wochenlektionen beklagt!» Für mich ist diese erzwungene Pause in ihrem Stundenplan ein Segen.

In der gemütlichen Gäste-Casita in Santa Fe kann ich eine ganze Woche lang bleiben. Katchie hat viel Zeit für mich. Wir fahren hierhin und dorthin, sie hat ein detailliertes Programm vorbereitet, es wird mir fast zu viel. Aber ich mag die Gegend, ich mag das Licht. Es fühlt sich vertraut an. Erst im New Mexico History Museum verstehe ich, warum: Dort ist eine ganze Galerie den Büchern von Karl May gewidmet. Im Vorführungssaal werden die alten Winnetou-Filme gezeigt, mit Pierre Brice, auf Englisch synchronisiert. Und obwohl ich weiß, dass diese Filme im ehemaligen Jugoslawien gedreht wurden, sehe ich doch: Genau so ist es hier! Genau so sieht es hier aus! Die Landschaft rührt an eine frühe romantische Prägung …

… «Leg das weg!», rief meine Mutter. «Dafür bist du noch viel zu klein!»

Ich hörte sie nicht. Ich war verliebt. Wie alt ich damals war, weiß ich nicht mehr, aber zu jung fühlte ich mich definitiv nicht. Ich kauerte unter ihrem Schreibtisch, wo ich guten Zugriff auf das unterste Bücherregal hatte. Dort standen nämlich die Belegexemplare ihrer Übersetzungen, unter anderem ein unersetzlicher Mädchenschatz: Die frühen Romane von Federica de Cesco. *Der rote Seidenschal. Der Türkisvogel.*

Unter dem Schreibtisch blieb die Zeit stehen. Obwohl ich mit der jugendlichen Ausreißerin, die bei einem Indianerstamm Zuflucht findet und sich selbstverständlich in den Häuptlingssohn verliebt, rein gar nichts gemeinsam hatte, fühlte ich: Diese Bücher meinen mich. Sie sind für mich geschrieben worden. Diese Sehnsucht nach einem Ort, an dem die Seele frei sein kann … Und jetzt bin ich hier. Nicht genau dort, wo diese Bücher spielen, aber an einem Ort, der genau so aussieht, wie ich es mir damals vorgestellt habe.

Und ich bin keineswegs die Einzige: Santa Fe ist ein Ort

der Zuflucht, des Rückzugs. Auch ein Ort, an dem Menschen sich zur Ruhe setzen. Retirement, denke ich. Madame Denise hat es doch gesagt! Hat sie etwa diesen Ort gemeint? Diese kleine Stadt, die immer schon für beides da war, um sich zur Ruhe zu setzen, um sich zurückzuziehen? Viele Künstler landen hier. Maler, die vom Licht verzaubert werden, das hier besonders durchsichtig scheint. Schauspieler, die hier einmal gedreht und sich in die Landschaft verliebt haben. Reich geschiedene Frauen auf der Suche nach spiritueller Erleuchtung, nach Liebe, nach Licht. Viele Nordeuropäerinnen, Schweizerinnen, Deutsche, aufgewachsen mit Karl May und Federica de Cesco. Frauen wie ich?

«Ich wollte immer mit den Indianern leben», sagt Nathalie, eine ehemalige Moderedakteurin aus Paris. «Ich hatte schon in meiner Pariser Wohnung ein Tipi aufgebaut!» Jetzt führt sie ein schönes, sehr teures Geschäft in Santa Fe, in dem sie Indianerschmuck verkauft und Cowboystiefel. Sie trägt ihr langes blond-graues Haar in zwei Zöpfen auf dem Rücken, mit einem Stirnband zusammengehalten, und ist von oben bis unten mit Silber und Türkis behängt. Katchie nennt es den Santa-Fe-Style und warnt mich davor, ihm zu verfallen: «Nach ein paar Jahren hier kannst du es nicht mehr sehen!» Nathalie überlässt mir ein Paar knöchelhohe Cowboy-Booties mit Leopardenprint zum halben Preis. Sie sind ein bisschen zu klein, aber wo ein Wille ist … Ihr Boyfriend Jim nimmt sie mir ab, liebevoll hält er sie in den Händen wie kleine Tiere. Er meint, er könne sie noch ein bisschen ausweiten. Jim ist kein Indianer, sondern ein hagerer Cowboy mit hufeisenförmigem Schnurrbart. Im richtigen Leben ist er Fotograf. Mit einem Spezialgebiet. Drei Bücher hat er bereits veröffentlicht, drei Bücher voller Porträtstudien – von Cowboystiefeln.

Bei einer Dinnerparty taucht eine hübsche blonde Yogalehrerin mit einem schönen Indianer auf. Ein Federica-de-Cesco-Traumpaar. Doch dann beginnt er zu reden. Erst erzählt er Española-Witze. Erst denke ich, das ist dasselbe wie Appenzellerwitze für Schweizer oder Ostfriesenwitze für Deutsche. Doch an den Witzen, die dieser schöne Mann erzählt, ist nichts Gutmütiges. Sie sind voller Häme. Española ist einer der ärmsten Orte in New Mexico. Herstellung und Verkauf von Drogen sind fast die einzige Einnahmensquelle. Ihr Konsum die einzige Ablenkung. «Weißt du, warum die Frauen in Española nicht größer sind als einen Meter dreißig und flache Köpfe haben?», fragt er mich. Ich starre ihn nur an. Er ist zu bekifft, um zu merken, dass ich seine Witze nicht lustig finde. «Damit man einen Ort hat, um das Bier abzustellen, während sie …» Er macht eine rüde Geste. «Genau die richtige Höhe, verstehst du?» Beinahe hätte ich meine Suppe ausgespuckt. Ungerührt fährt er mit einer Analyse des Zweiten Weltkrieges fort: Die Nazis seien doch einfach missverstanden worden, der Holocaust wurde von den Medien aufgebauscht. Irgendwann stehe ich auf, entschuldige mich. «Der Jetlag», sage ich und gehe zu Bett. Als ich die Tür hinter mir zuziehe, höre ich ein lautes Klirren. Meine Jungmädchenträume zerschellen auf dem Fußboden. So ein schöner Indianer – und so ein Arschloch! Wie ist das möglich? Ich möchte Federica de Cesco anrufen und sie fragen, was sie dazu meint. Ich möchte mich beschweren. In Wirklichkeit bin ich die Idiotin. Umgekehrter Rassismus ist auch Rassismus.

Am nächsten Tag fahren wir in den Norden zur Ghost Ranch, wo Georgia O'Keeffe gelebt hat. «Well, well, well!», soll sie gesagt haben, als sie hier ankam. «Nobody told me it would be like that!»

Von Georgia O'Keeffe kannte ich nur die vaginalen Blütenbilder, die ich wie die meisten Nachwuchsfeministinnen meiner Generation mit Reißnägeln über mein Bett gepinnt hatte. Ich wusste nichts über sie, über ihr Leben, ihr Werk – und schon gar nicht, wie sehr sie diese Sexualisierung ihrer Arbeit gehasst hat. Ich blättere in einem Buch über ihr Leben. Die Malerin besuchte Santa Fe zum ersten Mal 1917, auf der Durchreise nach Texas. «Seither war ich immer auf dem Weg zurück …» Zwölf Jahre später kam sie wieder, mitten in einer Arbeits- und Ehekrise – ihr Mann, der Fotograf Alfred Stieglitz, war gleichzeitig ihr Galerist. Seine Bedürfnisse bestimmten ihren Alltag zwischen Manhattan und Lake George in Maine. Er war immer umringt von seiner Familie, von Studenten, von Künstlern und Kollegen.

«Ich muss mir drei Wochen freinehmen, um zu malen», beklagte sich Georgia. «Und das ist keine Art zu malen.» Die Landschaft in Maine war ihr zu üppig und zu grün, das Haus zu voll von Menschen, Gesprächen, Ansprüchen. Sie sehnte sich nach der Einsamkeit, der Kargheit der Hochwüste, nach dem weiten Himmel von New Mexico. Stieglitz selber ermutigte sie schließlich zur Abreise. Nicht ganz uneigennützig: Ihre letzte Ausstellung hatte hauptsächlich aus älteren Werken bestanden. Sie hatte schon lange nichts Neues mehr gemalt.

«Was Georgia angeht», schrieb er einem Freund, «Georgia ist immer ein anderer Mensch, wenn sie frei ist. Frei von ihren alltäglichen Verpflichtungen. Und in einer Umgebung, die ihr entspricht (Land & Leben). Ich wusste, dass der Südwesten – genau da, wo sie jetzt ist – *das* Richtige ist für sie. Ich sah die Unausweichlichkeit.»

Ich lasse das Buch sinken. Das könnte ich sein, denke ich. Ich weiß genau, was sie meint. Genauso fühle ich mich auch.

«Ähem … möchten Sie das Buch kaufen?», fragt die freundliche freiwillige Helferin im Souvenirshop.

«Ja, ja, einen Moment noch …» Wahllos blättere ich weiter in dem Band *Georgia O'Keeffe. A Life* von Roxana Robinson und lande im Jahr 1946, nach dem Tod von Alfred Stieglitz. «Ihre Fürsorge für ihn wurde nur von ihrem eigenen Bedürfnis nach emotionalem Überleben übertroffen. Ihre Beziehung war von immenser Zärtlichkeit, gegenseitiger Unterstützung und Respekt, trotz aller Spannungen zwischen zwei kreativen Temperamenten (…) und den unvermeidbaren Belastungen des Ehelebens. Ihre Verbindung war nicht vollkommen konventionell, aber vollkommen erfolgreich.»

Ich schlucke leer. Genau das wollten wir doch auch einmal. Eine Verbindung, die nicht auf Konvention beruht, sondern auf gegenseitiger Unterstützung. Wir wollten die Liebe neu erfinden, hatten großartige Ideen von Freiheit und Freiwilligkeit. Der Inhalt unserer Beziehung sollte mehr bedeuten als ihre Form. Doch mit jedem Jahr versanken wir mehr in der Konvention. Am Ende scheiterte unsere Ehe auf die billigst vorstellbare Art, wie ein kleinbürgerlicher Schwank. Die Zwei-Künstler-Ehe funktioniert nun mal nicht, hatte ich resigniert erkannt. Und nun versichert mir ausgerechnet ein kaum verstandenes Idol meiner idealistischen Jugendjahre das Gegenteil. In Gedanken setze ich Georgia und Alfred auf die Liste meiner Traumpaare.

«Und?» Die Frau an der Kasse wartet immer noch.

«Entschuldigung.» Ich putze mir die Nase und bezahle das Buch. Katchie hat sich unterdessen die Seminarräume zeigen lassen. «Hier könnten wir doch mal zusammen einen Workshop geben», sagt sie. Ich sage sofort zu. Es steht vollkommen außer Zweifel, dass ich hierher zurückkehre.

An meinem zweitletzten Tag in Santa Fe beschließt Katchie, wir müssten uns noch die Canyon Road anschauen mit ihrer unvergleichlichen Dichte an Galerien, an hier verwurzelter Kunst. Ich verstehe nicht viel von Kunst, aber ich weiß, was mir gefällt. Und was nicht: so gut wie alles, was hier ausgestellt ist. Bronzene Bären, Sonnenuntergang mit Reiter, Engel am Nachthimmel. Handgeknüpfte Teppiche, die Zehntausende von Dollars kosten, Navajo-Töpferei hinter Glas. Es ist heiß, auf der Straße drängen sich die Touristen, in den Galerien auch. Da plötzlich sehe ich ein Schild: *Open House*.

«Komm, wir schauen uns zur Abwechslung ein Haus an», sage ich. Das ist eine Art Hobby von mir. Überall schaue ich auf die Aushänge der Immobilienbüros, studiere die Angebote, als meinte ich es ernst. In Gedanken richte ich das Loft in Hamburg ein, die Dachwohnung in Paris, die umgebaute Mühle auf dem Land. Ich träume auch oft von Wohnungen und Häusern, sehe jedes Detail, jeden Winkel genau vor mir. Wenn ich aufwache, könnte ich sie zeichnen. Die Räume, die ich geträumt habe, sind mir so vertraut, als hätte ich in ihnen gelebt.

Wir folgen dem Schild in den Hinterhof einer Galerie und durch ein offenes Tor in der Mauer, das auf einen kleinen Vorplatz führt. Eine Doppeltür, dann ein Wohnzimmer. Ich sinke auf die Fensterbank, schaue in den kleinen Hof hinaus und denke: Ach, ist das schön, endlich wieder zu Hause zu sein nach dieser langen Reise. Wie bitte? Zu Hause? Ich stehe wieder auf, das Haus ist voller Menschen, es ist klein. Ein quadratischer Raum, mit Vorhängen unterteilt. Ein Schlafzimmer, eine Küche, ein kleines Bad. Das Wohnzimmer mit dem Fenstersitz, mit dem Cheminee. Dicke, unregelmäßig weißgetünchte Lehmwände, weiße Holzbalken an der Decke. Am Eingang hängen getrocknete Chilischoten. Es ist traditionell, aber nicht rustikal. Ich schaue mich nur flüchtig um, alles ist mir vertraut, zu Hause eben. So sehr, dass mir die anderen Besucher bald auf die Nerven gehen. Was trampeln die mir hier durchs Haus!, denke ich. Das ist mein Haus!

Dieses Gefühl hatte ich schon zweimal zuvor, einmal in San Francisco und einmal in Aarau. An beiden Orten war ich glücklich. War? Ich bin glücklich in Aarau. Seit zwei Jahren lebe ich in dieser Wohnung, die mir das Schicksal zuspielte, als ich nach meinem fluchtartigen Auszug aus unserem Traumhaus eine Wohnung suchte. Die ersten Wochen hauste ich in einem Studio, das ich neben meiner Schreibwerkstatt angemietet hatte. Während meiner Ehe hat sich eine Gewissheit gefestigt: Ich brauche das Alleinsein. Es ist Teil von mir. Wenn ich allein bin, regeneriere ich mich, werde ich wieder ich selbst. Jetzt, wo ich tatsächlich allein bin, bin ich mir nicht mehr so sicher. Vielleicht musste ich mich nur immer von der Ehe erholen.

Nach der Trennung hatte ich die Wohnung in Aarau gefunden. Sie ist mein Refugium. Jedes Mal, wenn ich nach Hause komme, freue ich mich. Als es mir so schlecht ging, dass ich es nicht vor die Haustür schaffte, selbst als ich wochenlang auf dem Sofa im Erker lag und heulte, musste ich nur das Fenster öffnen, um das Leben in den Altstadtgassen zu hören und zu wissen: Es ist alles da. Das Leben geht weiter. Wenn ich dazu bereit bin, kann ich die Treppe hinuntergehen und bin wieder mittendrin.

Das ist hier ähnlich: Das kleine Haus liegt geschützt und ruhig keine zehn Schritte abseits von der belebtesten Straße der ganzen Stadt. Die unebenen, dicken Wände halten den Lärm ab, die alten Bäume neigen sich schützend über den

Sitzplatz. Aber die Ruhe, die Abgeschiedenheit kann jederzeit verlassen werden – und schon steckt man mitten im pulsierenden Leben.

Auf dem Tisch liegt eine selbstgemachte Werbebroschüre für das Haus: «Ein ideales Heim für einen Schriftsteller», steht da. Ich weiß, denke ich, ich weiß! Der Immobilienhändler kommt zu mir, er gibt mir seine Karte. «Hallo, Herr Nüscheler», sage ich und spreche seinen Nachnamen Schweizerdeutsch aus. Er stutzt: «Die meisten Leute nennen mich Mister Natschler», sagt er.

«Na ja, ich bin aus der Schweiz …»

«Ich auch!», ruft er. Oder wenigstens sein Großvater, der aus Grindelwald eingewandert ist. Wir reden ein bisschen über das Haus, dann wende ich mich an Katchie, die immer noch wartet. «Ich muss was trinken», sage ich. «Ich muss mich setzen. Meine Knie zittern!»

Auf der Straße spricht uns ein großgewachsener Mann mit einer verspiegelten Sonnenbrille an: «Na, ist diese Casita hübsch genug für euch?»

«Sind Sie der Besitzer?», fragt Katchie zurück.

Das ist er. Er heißt Frederic. Katchie stellt ihm gleich die wichtigsten Fragen: Wie ist es mit dem Parkplatz, ist das Dach in Ordnung? Ich höre gar nicht richtig zu. Wir gehen ins Teahouse, wo Natalie Goldberg *Schreiben in Cafés* geschrieben hat. Ich ignoriere die vierseitige Teekarte und bestelle einen doppelten Espresso, dabei zittere ich ja schon. Ich weiß nicht, was mit mir geschieht. Ich glaube, ich bin verliebt. «Katchie», sage ich. «Ich glaube, ich muss dieses Haus kaufen.»

Dabei habe ich gar kein Geld. Ich habe ein Haus in San Francisco, das mit einem Fluch beladen ist, mit diesem absurden und endlosen Rechtsstreit. Trotzdem, das Letzte, was mir in den Sinn gekommen wäre, ist, irgendwo anders noch ein Haus zu kaufen. Schon gar nicht an einem Ort, zu dem ich keine Verbindung habe, außer dass ein glückliches Paar hier wohnt. Schon gar nicht in einer Straße, in der ich von schlechter Kunst erschlagen würde. Aber da ist dieses ganz starke Gefühl: Das ist mein Zuhause. Das ist mein Haus. Also gehen wir noch einmal zurück. Unterdessen ist niemand mehr da. Der Immobilienhänder George und der Besitzer Frederic sitzen auf den Gartensesseln und trinken Tequila mit Grapefruitsaft. Sie bieten uns Drinks an. «Nein, danke», sage ich. «Ich bin schon betrunken.»

Ich schaue mir noch einmal alles an. Das Haus ist wirklich klein, fünfzig Quadratmeter, aber geschickt eingerichtet, jede Nische genutzt. Ich könnte sofort einziehen, denke ich, ich würde nichts verändern. Wieder lande ich auf dem Fenstersims.

«Das ist auch mein Lieblingsplatz», sagt Frederic. Ich rede mit ihm wie mit einem alten Freund. Ich habe das Gefühl, ihn genau wie das Haus schon zu kennen. Plötzlich habe ich ein Bild vor mir: Ich sehe einen kleinen Weihnachtsbaum neben dem Kamin stehen, meine beiden Söhne auf den Sofas lümmeln. Hier könnten wir Weihnachten feiern, denke ich. Was für ein absurder Gedanke. Weihnachten ist die für mich fast schmerzlichste Verletzung durch die Trennung. Weihnachten liegt mir das ganze Jahr über auf dem Magen. Und jetzt ist da plötzlich eine Alternative. Mindestens in meiner Vorstellung. So unrealistisch sie ist, so tröstlich ist sie auch. Ich lege eine Hand auf mein Herz, um dieses Bild darin zu versorgen.

Heute ist Sonntag, morgen Montag, Memorial Day, ein Feiertag. Montagabend reise ich ab, ich fliege zurück nach

New York und dann in die Schweiz zu meinem Auftritt. Der erste Teil meiner Reise ist vorbei.

Am Abend rede ich mit Katchie und Joshua, ich bin aufgeregt, es fühlt sich wirklich an, als sei ich verliebt.

«Zum Glück ist Frederic schwul», sage ich. «Weil, der würde mir sonst auch noch gefallen!»

«Schwul?», fragt Katchie. «Wie kommst du denn darauf?»

«Ist das nicht offensichtlich?» Allerdings war ich nie gut darin, so etwas zu erkennen. Acht Jahre in San Francisco haben meinen «Gay-Dar» nicht geschärft. Grundsätzlich interessiert mich die sexuelle Orientierung eines Menschen nur, wenn ich selber an ihm interessiert bin. Aber so weit wollte ich gar nicht gehen! Ich werde rot.

«Ich möche ja nicht ewig allein bleiben», habe ich zu Frederic gesagt. «Ich möchte nicht in einem Haus wohnen, in dem niemand außer mir Platz hat. Ich möchte mein Alleinsein nicht zementieren.» Nie im Leben hätte ich so etwas zu einem heterosexuellen Mann gesagt, denke ich. Wie peinlich!

Frederic hat nur gelacht und gesagt, er habe in den letzten sieben Jahren durchaus «Partner» gehabt, aber es müssen schon besondere Menschen sein, die in dieses Haus passen. Schwule sagen «Partner». Sagen sie doch. Oder nicht?

«Dich hat's erwischt», diagnostiziert Joshua, aber er meint etwas anderes: «Du hast das Adobe-Fieber!» Es ergreift die meisten, die zum ersten Mal hierherkommen. Sie fühlen sich angezogen von der Weite, vom Platz, auch von den vergleichsweise tiefen Immobilienpreisen. Sie können sich etwas Größeres leisten als anderswo, und es hat ja auch Platz. Das typische Santa-Fe-Haus ist ein einstöckiger, weitläufiger Lehmziegelbau mit viel Land außen herum und einem Blick in die Weite. Auf die blauen Berge am Horizont. Mir gefällt die Adobe-Architektur nicht besonders, ich finde sie kitschig.

Mein Haus hat keine Aussicht. Es hat dicke Wände, die sich um mich schließen wie zu meinem Schutz. Es ist winzig. Es ist perfekt. Es ist mein Haus.

Katchie ruft ihre Immobilienhändlerin Shawn an, die verspricht, trotz des Feiertags morgen das Haus noch einmal mit mir anzuschauen. «Der Preis stimmt», sagt sie. «Ich würde schnell zuschlagen. Wie wollen Sie das denn machen?»

«Nun, ich muss einen Kredit aufnehmen», sage ich. «Ich werde meine Bank in der Schweiz anrufen. In der Schweiz ist heute kein Feiertag.»

Dabei weiß ich schon, was Herr Perez sagen wird. Er wird versuchen, es mir auszureden. Ich lege mir schon Argumente zurecht, wie ich ihn überzeugen könnte. Ich habe ein persönliches, fast familiäres Verhältnis zu meiner Bank, auch wenn das komisch klingt. Mein Großvater, ein hagerer Mann, den ich kaum kannte, ein einsamer Mann, hatte sich spät in seinem Leben noch einmal verliebt. Und seine Frau, die bei uns Tante Klärli hieß, die stammte aus Lenzburg. Und so trug mein Großvater sein Geld zu ihrer Bank. Aus Liebe.

Mein Großvater starb, als ich neun Jahre alt war, und vermachte mir ziemlich viel Geld – oder so kam es mir jedenfalls vor. Als ich einundzwanzig wurde und an das Geld herandurfte, war ich trotz des Alters noch nicht wirklich erwachsen. Ich unternahm die lange Reise von Zürich nach Lenzburg, und wenn man mir damals gesagt hätte, dass ich später einmal ganz in der Nähe leben würde, hätte ich gelacht.

Erst einmal bekam ich ein Konto. Ein feierlicher Moment. Dann nahm ich das Geld entgegen und fuhr damit nach Paris, wo es mir gelang, in kürzester Zeit alles auszugeben. Keine Ahnung, wie das passiert war. Ich weiß nur noch, dass ich sehr oft Besuch hatte. Und dass wir damals gern bunte alkoholische Getränke in Blumenvasen bestellten, mit Schirmchen und Plastikgiraffen verziert. Vielleicht liegt es auch an diesen Getränken, dass ich mich nicht mehr im Detail erinnere. Nun war es aber im Nachhinein keineswegs verplemperte Zeit, denn damals begann ich zu schreiben. Ernsthaft zu schreiben.

Das wagte ich damals nicht so zu nennen. Ich kannte keine einzige Schriftstellerin. In meiner Kindheit hatte es nur Frauen von Schriftstellern gegeben, und Schriftsteller wie meinen Vater, ernsthafte Herren mit mindestens einem Universitätsabschluss, die Pfeife rauchten und diskutierten, wie sie die Welt verändern wollten. Ich wollte das nicht. Ich wollte Geschichten erzählen. Ich wusste nur nicht, wie ich das machen sollte. Seit ich acht Jahre alt war, trug ich Notizbücher mit mir herum, in die ich tagebuchartige Sentenzen kritzelte und ab und zu ein schlechtes Gedicht. Der Sprung in die Fiktion schien mir so vermessen und gefährlich wie der von unserem Hausdach in den Hof. Ein Abenteuer, zu dem mich mein erster Freund überreden wollte. Er war etwas älter als ich, schon im Kindergarten, und durfte, im Gegensatz zu mir, fernsehen. Und zwar nicht nur das *Gutenacht-Geschichtli* und die Kinderstunde, sondern Serien, in denen echt geschossen wurde, *Daktari* zum Beispiel. Von *Daktari* erzählte er oft, und nach langem Betteln ließ er sich dazu herab, mit mir *Daktari* zu spielen. Das ging so: Wir stellten uns unter das Vordach, mit langen Holzstecken bewaffnet, und versuchten, den Schnee herunterzuschlagen. Dabei schrien wir: «Daktari, Daktari!» Und wenn der Schnee vom Dach fiel, rannten wir weg. Noch besser wäre es gewesen, vom Vordach in die Schneewehen zu springen, aber dabei hatte uns meine Mutter erwischt, und es blieb bei den Stecken. Wenig später zog er weg, zum Abschied schenkte er mir einen Bierdeckel und eine Muschel. Er versprach, ein Loch in den Boden des Autos zu sägen, sich auf die Straße fallen zu lassen und zu mir zurückzukommen. Wir wollten heiraten. Ich habe nie mehr etwas von ihm gehört. Jahre später sah ich *Daktari* im Fernsehen. Die Serie spielt in Afrika. Ein schielender Löwe kommt darin vor, ein Affe. Weit und breit kein Schnee.

Nach dem Abschluss meiner Buchhändlerlehre fuhr ich unter dem Vorwand, einen Sprachkurs besuchen zu wollen, nach Paris. Dort fand ich Anschluss bei einigen angehenden Filmemachern, die sich jede Woche trafen, um ihre Lebensträume und Pläne zu diskutieren und dazu sehr viele Zigaretten zu rauchen. In diesem Rahmen gelang es mir zum ersten Mal, es auszusprechen. Auf die Frage, was ich so mache, antwortete ich kühn: «Ich bin Schriftstellerin.»

Vielleicht, weil mich niemand kannte. Vielleicht, weil ich es in einer fremden Sprache sagte. Jedenfalls brach niemand in wieherndes Gelächter aus. Niemand rief: «Was, du? Du machst wohl Witze!» Nein, die folgende Frage lautete meist: «Und, hast du schon etwas veröffentlicht?»

«Nein», sagte ich wahrheitsgemäß. «Non!» Doch das war nicht weiter schlimm, das ging den Filmemachern nicht anders. Wir waren jung, wir saßen sozusagen in den Startlöchern. Wir diskutierten unsere Projekte, und ich weiß nicht, ob die anderen genauso schamlos hochstapelten wie ich, die ich von Kurzgeschichten und einem angefangenen Roman erzählte, während ich in Wirklichkeit nur Beobachtungen aus meinem Leben in das chinesische Notizbuch kritzelte, schwarz mit roten Ecken, das ich immer mit mir herumtrug. Vielleicht waren die Filmprojekte meiner neuen Freunde ebensolche Luftschlösser wie mein Roman. Fast gewöhnte ich mich an meine selbstgeschaffene Identität als Schriftstellerin, zu der mir nur noch das wirkliche Schreiben fehlte. Da wollte es der Zufall oder das Schicksal, dass ein junger Deutscher zu unserer Gruppe stieß. Und der wollte natürlich etwas von mir lesen.

Ich hatte mich in eine Ecke hineingeredet. Aus der ich mich nun herausschreiben musste. «Klar, kein Problem», sagte ich, ging nach Hause und verfasste bis zum nächsten Jour fixe drei sehr kurze Geschichten, denen man meine damalige Lieblingslektüre stark anmerkte. Der Deutsche war nicht begeistert. «Interessant», sagte er nur. Aber es war ein Anfang!

Als Nächstes behauptete ich, einen Roman zu schreiben. Wir saßen bei einem jungen Musiker zu Hause auf dem Fußboden, und ich schaute mich im Zimmer um, klaute da eine Zeile von einem Plakat und da etwas aus dem Gespräch: «Äh, ja, mein Roman heißt *Spät in der Nacht* und handelt von einem, äh, Musiker, nein, einem Fotografen namens, äh, Biba, und der ...»

Später saß ich auf dem Klo und schrieb in mein chinesisches Notizbuch: «*Spät in der Nacht*, ein Roman.»

So hat es angefangen. So habe ich angefangen zu erfinden. Die Grenzen zwischen den verschiedenen Realitäten zu verwischen. Der erste Schritt, der ins Leere, war der leichteste. Der Schnee lag so hoch, dass ich von unserem Vordach direkt ins weiche, kalte Weiß treten konnte. Es war alles schon da. Affen und Löwen, Stecken und Schnee. Lügen, Phantasien, Träume und Bilder – mein Kopf war voll von ihnen. Ich musste sie nur aufschreiben.

So vergingen drei Monate und eine Erbschaft. Und deshalb schrieb ich, als sich das Geld zu Ende neigte, einen Brief. An meine Bank. Damals gab es noch kein E-Banking und keine Bankomaten. Ich schrieb also lange Briefe auf der mechanischen Schreibmaschine, auf der auch meine ersten Romane entstanden, erklärte meine Lage in blumigen und, wie ich hoffte, überzeugenden Worten: Für meinen Werdegang als Schriftstellerin sei es unabdingbar, dass ich mich weiterhin in Paris aufhalten könne. Dazu fehle mir allerdings ein winzig kleiner Geldbetrag, um die bestimmt nur sehr kurze Zeit zu überbrücken, bis ich einen Verlag gefunden hätte …

Es dauerte dann über sechs Jahre, bis mein erstes Buch erschien. Sechs Jahre, in denen ich Paris verlassen und diverse Brotjobs annehmen sollte, aber erst einmal bekam ich das Geld – eine Investition in meine Zukunft.

Jahre später, als ich meinen ersten großen Scheck von einem richtigen Verlag zu ebendieser Bank trug, deren Schalterhalle sich kaum verändert hatte, erinnerte mich der zuständige Sachbearbeiter an meine Briefe von damals. Um ehrlich zu sein, gestand er, so richtig hätte er damals nicht an meinen Erfolg geglaubt. Er hätte sich Sorgen gemacht. Aber jetzt sei ja alles gut gekommen.

Meine Bank nimmt Anteil an meinem Leben. Ich vertraue ihr. Also werde ich mich dem Urteil von Herrn Perez beugen. Doch vorläufig erlaube ich mir meine Tagträume, die wie Kurzfilme durch meinen Kopf flimmern. Ich sehe mich einen Lavendelbusch pflanzen, mit einem Strohhut auf dem Kopf. Ich sehe mich auf einem kleinen Pferd hinter Katchie hergaloppieren. Der Hut fällt mir vom Kopf. Ich sehe mich auf Frederics rotem Gartenstuhl sitzen und lesen und die Zeit vergessen. Plötzlich regt sich etwas, das ich schon lange nicht mehr gespürt habe, und aus gutem Grund. Es ist mein Leben, spüre ich plötzlich. Jetzt wird es mein Leben. Bald werde ich mir erlauben können zu fragen: Was will ich eigentlich? Wie will ich leben?

Noch erlaube ich mir diese Frage nicht. Nicht ganz. Aber ich spüre, dass es eines Tages so weit sein wird. Eines Tages – bald.

Ich fahre mit Shawn in ihr Büro und fülle einen Kaufantrag aus. Dann setze ich mich wieder ins Teahouse. Ich warte auf Joshua, er wollte sich das Haus auch noch einmal anschauen. Ich rufe eine Freundin an, die New Mexico gut kennt. Sie ist sofort begeistert. «Da passt du hin», sagt sie. «Das kann ich mir gut vorstellen.» Joshua kommt nicht, also rufe ich Frederic an. Joshua sei schon wieder gegangen, sagt er. Ob ich noch mal vorbeikommen wolle? «Nein», sage ich. «Nicht nötig. Ich werde in den nächsten Tagen ein Angebot machen.»

«Jetzt habe ich weiche Knie», sagt er.

Allein mit Bette und Nurse Gloria

Als ich nach New York zurückkomme, ist alles anders. Gabriele hat eine neue Mitbewohnerin: Miss Pickles, eine neun Wochen alte Foxterrierhündin, die alle paar Stunden rausmuss. Über die Universität, für die sie arbeitet, besorgt mir Gabriele ein günstiges Hotelzimmer an der Upper West Side. Ich fühle mich wie Woody Allen. Und wie eine Hochstaplerin. Im Lift ertappe ich mich manchmal dabei, dass ich in den Spiegel schaue und mich frage, ob ich als Dozentin durchgehen könnte. Das erinnert mich an einen Taxifahrer, der mich einmal vom Burghölzli abholte, der Psychiatrischen Universitätsklinik in Zürich. Es regnete in Strömen. «Haben Sie jemanden besucht?», fragte er. Ich schüttelte den Kopf. «Dann sind Sie Ärztin?» – «Auch nicht.» Jetzt blieb nur noch eine Möglichkeit. Der Fahrer schaute in den Rückspiegel, musterte mich prüfend, ich hielt seinem Blick stand. Vielleicht lächelte ich sogar. «Machen Sie sich nichts draus», sagte er. «Sie würden ohne weiteres als Ärztin durchgehen!»

Als ich noch in Zürich lebte, ganz in der Nähe des Burghölzli, hielt ich immer den Atem an, wenn ich an der Einfahrt vorbeiging: «There but for the grace of God go I …» Nicht selten war ich versucht, statt geradeaus zur Tramstation in die Einfahrt abzubiegen, die Tür zur Klinik aufzustoßen und mich am Schalter zu melden: «Ich bin jetzt so weit. Darf ich reinkommen?»

Eine dünne Linie trennt mich nur vom Wahnsinn, der Hauch eines Unterschieds, eine Wand aus Papier, durch die ich jederzeit hindurchtreten könnte.

Ich könnte aber auch als Ärztin durchgehen. Oder als Gastdozentin.

Die nächsten Tage verbringe ich am Telefon und am Computer, versuche Daten und Dokumente zu besorgen, bleibe abends lange wach, um Herrn Perez in der Schweiz zu erwischen, und stehe morgens früh auf, um mit Shawn und Pete in Santa Fe zu sprechen.

Herr Perez ist wider Erwarten begeistert von dem Haus und findet es eine wunderbare Idee, eine gute Investition. «Das machen wir möglich!» Aber einen Kredit werde ich in der Schweiz nicht bekommen, sagt er. Nicht für eine Investition in Amerika. Nicht wenn meine einzige Sicherheit ein weiteres Haus in Amerika ist. Nicht in dem jetzigen Klima. Ich rufe Shawn an, die so etwas erwartet hat. Sie meint, das könnte schwierig werden und gibt mir die Adresse von Pete. «Wenn es einer möglich machen kann, dann er.» Pete ist Hypothekenmakler in Santa Fe und verhinderter Schriftsteller. Vor fünfunddreißig Jahren hat er in einer psychiatrischen Klinik gearbeitet und während der langen dunklen Stunden der Nachtschicht einen Roman geschrieben. Er weiß selber nicht mehr, was er geschrieben hat, aber er würde es mir gerne zeigen. Ein paar Tage später schickt er mir sein Manuskript, das fünfunddreißig Jahre lang in einer Schublade lag. Er schickt es mir und drei Freunden, von denen einer ein Literaturprofessor ist. Dieser verspricht, das Manuskript zu prüfen, es allenfalls einem Verleger zu empfehlen. «Ohne dich», sagt Pete, «ohne unsere Gespräche hätte ich das nie gewagt!» Einen Kredit kann er mir allerdings auch nicht verschaffen: Ich habe kein gültiges Visum mehr.

Herr Perez sagt, die einzige realistische Möglichkeit sei, meine Mutter oder meinen Bruder um das Geld zu bitten. Doch das will ich nicht. Geld und Freundschaft zu verbinden ist keine gute Idee. Geld und Liebe erst recht nicht. Geld und Familie ist ein Minenfeld. Lektionen, die ich mühsam und langsam gelernt habe. Lektionen, die ich nicht einfach ignorieren kann.

Ich gebe auf. Ich schreibe Frederic: «Es tut mir leid, ich trete von meinem Antrag zurück.» Mehrmals täglich hat er mir Mails geschickt, mit Links zu allen möglichen Lokalen und Sehenswürdigkeiten in Santa Fe. Diese Mails werde ich vermissen, denke ich noch – doch er hört nicht auf, mir zu schreiben. Mir kleine Anekdoten und Hinweise zu schicken. Er lässt es nicht zu, dass ich die Stadt vergesse. Und das Haus schon gar nicht.

Jetzt will ich die letzten beiden Tage noch genießen. In meinem Zimmer quellen die Koffer über, ich habe bereits zu viel eingekauft und kaufe immer noch mehr: bodenlange T-Shirt-Kleider, flache Schuhe, Geschenke, Kosmetika, Vitamintabletten, die es in der Schweiz nicht gibt – als würde ich nicht schon in zwei Wochen wieder auf amerikanischem Boden stehen.

Meine Tasche, das merke ich erst jetzt, meine Tasche hat all meine Kleider und Pullover auf der Seite aufgescheuert. Ich muss mir neue kaufen. Taschen. Nein, Kleider. Die Reise ist teurer als geplant, und dabei habe ich nicht einmal ein Haus gekauft! Und auch noch nichts geschrieben.

Ich treffe mich mit Little Kate, der älteren Tochter von Paul und Daphne, die nur ein paar Straßen weiter als Nanny arbeitet. Little Kate ist nicht mehr klein, aber wir nennen sie immer noch so. Vor einem halben Jahr stand Little Kate am Flughafen in New York, wo sie Freunde besucht hatte, und war auf dem Heimweg zu ihren Eltern. Sie hatte bereits eingecheckt, ihr Gepäck aufgegeben und stand am Gate. Sie zog ihr Handy aus der Tasche, um es auszuschalten.

«Aber ich konnte nicht», erzählt sie, selber noch verwundert über diese Gewissheit, die aus dem Nichts in ihr aufstieg. «Ich konnte das Telefon nicht ausschalten, ich konnte nicht in das Flugzeug steigen, ich konnte diese Stadt nicht verlassen!»

An dieser Stelle ihrer Erzählung sehe ich Little Kate in einer Telefonkabine stehen und umständlich eine Nummer wählen, das würde der Dramatik dieses Momentes eher gerecht. Aber es gibt keine Telefonkabinen mehr und keine Wählscheiben, und vermutlich war der Flughafen in New York auch nicht in Nebelschwaden gehüllt, als die junge Frau zu Hause anrief und verkündete, dass sie nicht zurückkommen würde.

«Ich wusste es einfach», sagt sie, und in ihrer Stimme schwingt immer noch Erleichterung mit. Ich weiß, was sie meint: Kaum etwas ist schwerer auszuhalten als die Ungewissheit. Was mache ich aus meinem Leben? Wo gehe ich hin? Was wäre jetzt richtig? Deshalb beschwichtigt man sich mit der Vorstellung, das Leben sei in geordnete Bahnen zu lenken und im Fünfjahresrhythmus durchzuplanen. Das Leben allerdings wehrt sich, es schüttelt die Pläne ab wie lästige Fliegen. Ich denke an das kleine Haus in Santa Fe. Ich habe diese selbe Gewissheit verspürt wie Little Kate. Aber ich konnte sie nicht durchsetzen. Umso tröstlicher ist mir ihre Geschichte. Die nicht mehr kleine Kate musste aus dem Stand eine Arbeitsstelle und eine Wohnung finden. Was in New York und besonders in Manhattan nicht einfach ist. Aber wie immer, wenn man plötzlich weiß, welches der nächste Schritt ist, zeigt sich der übernächste auch. Man setzt einen Fuß vor den anderen und geht durch offene Türen. Kate fand eine Stelle als Kindermädchen, schlecht bezahlt, aber mit Kost und Logis. Die Mutter war eine Schweizerin. «Stör dich nicht an meinem Tonfall», warnte sie Kate. «Ich bin nicht grob, ich bin aus der Schweiz!»

«Das ist in Ordnung», sagte Little Kate. «Ich bin unter Schweizern aufgewachsen.» Damit meinte sie auch mich. Auch ich habe mich damals in San Francisco manchmal erklären müssen: «Ich mein es nicht böse, ich bin aus der Schweiz.» Eine Entschuldigung, die überall akzeptiert wird. Es rührt mich, dass ich in Kates Kindheit eine Rolle gespielt habe, wenn auch eine kleine.

Vielleicht bin ich zu alt, um noch einmal ein neues Leben zu beginnen, denke ich. Vielleicht muss man jung sein, wie Little Kate, ungebunden, um dieser inneren Stimme einfach folgen zu können. Oder man nimmt die anderen mit. Wie wir es damals getan haben, als wir zu viert nach San Francisco zogen. Ich hatte schon einmal ein neues Leben. Ich hatte schon einmal eine Chance, neu anzufangen. Ich habe sie aufgegeben. Eingetauscht gegen die Sicherheit.

Auf meinem Handy habe ich Bilder von der Casita in Santa Fe gespeichert. Immer wieder schaue ich sie an und seufze wie ein verliebter Teenager. Was ist es, was dieses Haus mir verspricht? Welche Wünsche soll es mir erfüllen? Ich denke wieder an Georgia O'Keeffe. Als sie ihr Haus in Abiqui zum ersten Mal sah, war es eine Ruine. Nicht viel mehr als eine freistehende Wand mit einer Tür drin. Aber «that wall with a door in it was something I had to have».

Ich wünsche mir nur einen Ort, an dem ich ich selber sein kann. Unter Menschen, die mich so nehmen, wie ich bin. Das ist alles. Ist das so schwierig? Kann das nicht Aarau sein oder Zürich?

Den letzten Abend meiner Reise verbringe ich allein. Durch Zufall kann ich eine begehrte Karte für eine Aufführung von Bette Midler ergattern. Ein Monolog nach der Autobiographie von Sue Menkes, der legendären Hollywoodagentin. Das Ticket kostet mehr als eine Nacht in meinem Hotelzimmer. Es ist mir egal. Es ist mein letzter Abend. Die Hälfte meiner Reise ist um. Morgen fliege ich in die Schweiz zurück, übermorgen stehe ich selber auf der Bühne. Kaum erinnere ich mich an die Frau, die in der U-Bahn lachte, nachdem niemand mit ihr tanzen wollte. Kaum erinnere ich mich an den strömenden Regen. Es ist heiß und schwül in New York und klirrend kalt in jedem Gebäude.

Ich fahre an den Broadway, setze mich in das nächstbeste Restaurant. Es sieht aus wie eine Touristenfalle, eine Abfütterungshalle, es ist mir egal. Das Lokal ist überfüllt, ich setze mich an die Bar. Ich bestelle frittierte Calamares, eine Vorspeise, sie kommt auf einer Platte, die für eine ganze Familie reichen würde. Auf dem Fernsehbildschirm wird anhaltender Regen gezeigt, von irgendwoher droht ein Hurrikan. Draußen ist es taghell und immer noch fast dreißig Grad warm. Ich sitze zwischen zwei Paaren und unterhalte mich mit dem Kellner. Links von mir erklärt ein altmodisch gekleideter junger Mann einer etwas älteren Frau den Unterschied zwischen Psychoanalyse und Psychotherapie. Eine Zeitlang höre ich interessiert zu, die Augen immer auf den Bildschirm gerichtet, damit es nicht auffällt. Auf der anderen Seite entschuldigt sich der Mann für einen Moment, und die Frau wendet sich zu mir: «Findest du nicht auch, er sollte mir mindestens einen zweiten Drink anbieten?» Sie deutet auf ihr leeres Glas. «Er könnte doch mindestens so tun, als laufe der Abend gut!»

Ich bin keine Expertin für Beziehungsfragen, will ich sagen, aber dann zucke ich mit den Schultern. Warum nicht? Das eine oder andere habe ich schon gelernt unterwegs. «Wie lange kennt ihr euch denn?», frage ich.

«Oh, Honey, das ist unser erstes Date!» Sie spreizt ihre Finger, als wolle sie mir ihre kunstvolle Maniküre zeigen. Sie ist auffällig gekleidet, geschminkt, frisiert. Stunden, denke ich. Stunden hat sie damit verbracht, sich zurechtzumachen. Jetzt wirft sie dem Barmann einen gezielten Blick zu, er füllt ihr Glas wieder auf.

«Oh!» Jetzt weiß ich nicht mehr weiter. «Ich kenne die Regeln nicht», entschuldige ich mich. «Ich bin nicht von hier.» In der Schweiz, will ich sagen, da wo ich herkomme, kann eine Frau einen Mann anrufen, ohne als verzweifelt zu gelten. Sie kann ihn sogar zu sich nach Hause zum Essen einladen, ohne eine romantische Absicht oder Erwartung damit zu verbinden. Aber wenn ich ehrlich bin, weiß ich gar nicht, ob das überhaupt noch stimmt. Es ist zwanzig Jahre her, dass ich so etwas gemacht habe.

Die letzten Jahre meiner Ehe lebte ich wie unter einer Käseglocke. Und das war richtig so, ich musste das Bestehende auflösen, ohne mich durch eine neue Liebe abzulenken. Sich in jemand anderen zu verlieben ist der einfachste Weg aus einer Beziehung. Das wusste ich bereits – aus Erfahrung. Ich bin alles andere als eine Heilige. Doch diesmal ging das nicht. Ich war in meine Ehe verbissen wie eine Bulldogge in einen Pantoffel. Als ich ihn endlich loslassen musste, empfand ich die Leere um mich herum als wohltuend. Als Erleichterung.

Nur meine Eitelkeit war gekränkt. Warum bin ich allein? Warum steht niemand bereit, um mich aufzufangen? So war es doch sonst immer gewesen. Seit ich vierzehn war, gab es immer mindestens einen Mann. Jeden Einzelnen habe ich geliebt. Jeder Einzelne von ihnen hat mein Leben geprägt. Verändert. Oder man könnte auch sagen: Für jeden Einzelnen habe ich mein Leben komplett auf den Kopf gestellt. Ob er das nun wollte oder nicht. «Ich habe noch nie eine Frau gekannt, die so sehr in der Liebe aufgeht», hat einer einmal gesagt. Das ist mein Name: Milena, die Vielgeliebte. Oder: Die Liebende. Nur wenn ich geliebt bin, vergesse ich, dass es mich eigentlich gar nicht geben dürfte. Dass ich nicht gut genug bin.

Natürlich wünschte ich mir auch in dieser schwierigen Phase, es würde jemand kommen und mich retten. Oder wenigstens ablenken. Jemand, für den ich mein Leben wieder komplett auf den Kopf stellen könnte. Jemand, für den ich die Arbeit fallen lassen könnte. Nur in den Armen eines Mannes kann ich die Zeit vergessen, ganze Tage vergehen lassen, Aufträge und Deadlines verpassen. Die Liebe sticht alles. Nicht?

Doch dann passierte etwas Seltsames: Wo ich früher oft das Gefühl hatte, die Welt sei von tollen Männern geradezu überbevölkert und mein größtes Problem, mich für den Richtigen zu entscheiden, da war plötzlich nichts mehr. Niemand. Eine männerlose Wüste. Es schien, als bewegten sich nur noch Frauen und Kinder durch mein Blickfeld. Durch meinen Alltag. Mein Leben. Selbst die Straßen waren wie leergefegt, das Internet erst recht, das Telefon schwieg. Nicht einmal im Fernsehen sah ich Männer, die mir gefielen. Dabei war das doch die Lösung meiner verheirateten amerikanischen Freundinnen: Statt sich in einen Mann aus Fleisch und Blut zu verlieben, entwickelten sie «TV-Crushes» und verbrachten Stunden, wenn nicht Nächte in der Gesellschaft von Dr. Shepherd oder Marshall Raylan Givens. Eine überraschend befriedigende und auch pragmatische Lösung. Doch leider neige ich selbst vor dem Fernseher dazu, mich meinem gerade aktuellen Crush anzupassen. Und das Schlimmste ist: Ich merke es nicht einmal. «Sag mal, seit wann fluchst du eigentlich so viel?», fragte eine Freundin. «Seit ich für Al Swearengen aus *Deadwood* schwärme», wurde mir bewusst.

Die Frau, die neben mir am Tresen von Big Daddy's Diner sitzt, schaut auf die Uhr. Ihr Date ist noch nicht zurück. «Der hat sich abgesetzt», kommentiert sie ungerührt, legt zwanzig Dollar auf die Theke und geht.

Im Theater sitze ich neben einer älteren Frau mit phantastischem Goldhaar, wie ich es nur aus dem Fernsehen kenne. Wir kommen ins Gespräch, es stellt sich heraus, dass sie auch Schriftstellerin ist. Sie hat ein Buch über ihre armenische Mutter geschrieben, das dieser Tage erscheint und bevor der Vorhang aufgeht, habe ich schon beinahe versprochen, ihr einen deutschsprachigen Verlag zu suchen.

Dann beginnt die Vorstellung, und ich vergesse alles andere. Das passiert mir nicht so oft. Meist denke ich an hundert Dinge. Aber heute Abend bin ich ganz wach. Ich bin präsent. Ich habe das Gefühl, Bette Midler beziehungsweise Sue Menken spricht direkt zu mir. Über die Bedeutung von Ruhm und Erfolg, die Überlebenschancen, die Freundschaften in der Öffentlichkeit haben. Ich nicke, ich lache, ich gehe in dem Stück auf. In einer Szene erzählt sie, wie sie Ali McGraw, die sich bereits aus dem Business zurückgezogen hatte, zu einer letzten großen Rolle überreden wollte. Doch als sie sie aus dem Haus kommen sah, ihren Sohn auf der Hüfte, strahlend glücklich – «da wusste, ich, ich habe keine Chance. Ich stieg nicht mal aus dem Auto. Gegen das Glück kommt Hollywood nicht an.» Das gibt mir einen kleinen Stich. Nicht weil ich mich frage, wie das persönliche Glück das berufliche ausschließt oder umgekehrt, nein: weil diese Szene in Santa Fe spielt. Santa Fe ist eine winzige Wunde, die brennt. Ein Papierschnitt. Als hätte ich einen Blick auf eine Variante meines Lebens werfen dürfen, eine Möglichkeit. Aber nur einen Blick. Dann fällt der Vorhang.

Nach dem Schlussapplaus drängt das Publikum zum Ausgang, ich erkenne ein Gesicht in der Menge: Das ist doch Nurse Gloria! Aus der Fernsehserie *Nurse Jackie*! Ich lege meine Hände vor der Brust zusammen und verneige mich vor ihr: «We love you in Switzerland!», rufe ich. Die Schauspielerin lächelt unverbindlich.

An diesem Abend bin ich glücklich. Ich brauche nichts. Ich vermisse nichts. Es ist genug. Kaum erinnere ich mich an die Frau, die vor fünf Wochen hier angekommen ist, erschöpft, verunsichert und unter unerträglichem Druck, endlich glücklich zu sein. Ich gehe zu Fuß nach Hause, durch die Straßen, die nicht meine sind. Es ist immer noch heiß. Der erste Teil meiner Reise ist zu Ende.

II
DAS GLÜCK HAT VIER WÄNDE

Google zum Glück

Als ich wieder in der Schweiz bin, schickt mir Frederic einen kleinen Film, den er mit seinem Handy aufgenommen hat. Er spricht in die Kamera, ein bisschen nervös. «Heute vor einer Woche habe ich dich kennengelernt», sagt er. «Ja, dich – und es war wunderbar!»

Ich zeige den Film meinen Freundinnen, ich bin verwirrt, was hat das zu bedeuten? Was will der Mann? «Er flirtet mit dir», sagen sie. «Wieso schwul, wie kommst du denn darauf? Der ist doch nicht schwul!»

Nicht? Ich erlaube mir ein leichtes inneres Grinsen, ein Nachgeben. Ach wirklich, der flirtet mit mir? Vielleicht geht es also gar nicht um das Haus, sondern um den Mann? Ich besuche Freundinnen, ich lasse mich zum Erzählen hinreißen, ich erzähle von dem Haus und von dem Mann, ich hole Meinungen ein links und rechts und merke doch, dass ich nur etwas hören will: «Der ist nicht schwul, der steht auf dich!»

Warum? Weil ich mir genau das gewünscht habe: Einen Mann kennenzulernen, der sich vertraut anfühlt wie ein alter Freund. Ein Mann, mit dem ich mich so wohl fühle, dass ich nicht darüber nachdenke, was ich sage oder wie ich aussehe.

Er schickt einen weiteren Film, in dem er durch sein Tagebuch blättert. Unten in einer Ecke hat er mich gezeichnet, mit meinen Locken und mit einer Sprechblase: «Ich werde ein Angebot machen!» Und darunter steht: «Ich erlaube mir zu hoffen.»

Ich erlaube mir zu hoffen? Ich erlaube mir zu hoffen! Er schickt einen Film nach dem anderen, und ich beginne, anders an ihn zu denken. Es ist lange her, dass ich ein solch unschuldiges leises Kribbeln verspürt habe. Ungefähr ein Jahr nach der Trennung passierte es zum ersten Mal, dass ein Mann in mein Sichtfeld geriet, der mich innehalten ließ. Ich sah ihn von weitem auf der anderen Straßenseite, ein ernstes Gesicht, ein tiefer Blick. Dieses Aufmerken, dieses leise Interesse hatte ich so lange nicht gespürt, dass ich kurz entschlossen hinüberging, um mir sein Gesicht auf dem Plakat näher anzusehen. Es war John Cage. Seit zwanzig Jahren tot. Aber immerhin, ein Anfang. «Das nächste Ziel ist einer, der noch lebt», sagte eine Freundin, die mich nachsichtig lächelnd beobachtet hatte.

Nein. Das nächste Ziel bin ich selber. «Die nächste Liebesgeschichte hast du mit dir selbst» – ich weiß nicht mehr, wer das zu mir gesagt hat. Jedenfalls hatte er recht. Und so akzeptiere ich, erst zähneknirschend, dann erleichtert, dass sich vorläufig kein Mann in mein Sichtfeld bewegt. Zu meiner eigenen Sicherheit.

Aber Frederic ist ja gar nicht real. Unterdessen bekomme ich täglich kleine Filme von ihm, jeden Tag erzählt er mir etwas aus seinem Leben und drängt sich so langsam in meins. Immer wieder berichtet er von neuen Besichtigungsterminen im Haus, zeigt mir die Massen, die sich durch «meine» Räume wälzen. Das kleine Haus. Mein Haus. Und mein ungelebtes Leben.

Eines Abends sitze ich auf dem Sofa mit dem Laptop auf den Knien und einem Glas Wein in der Hand. In drei Tagen werde ich meine Reise fortsetzen, nach San Francisco fliegen, meinen Anwalt treffen, weiterfahren nach Montana zu meiner Cousine Marina, und von dort vielleicht in ein Indianerreservat. Marina schreibt mir, die Daten meiner Anreise passten ihr nicht so gut. Ihre Familie leitet ein Sommerlager für Teenager, mit Reiten, Malen, Tanzen. Ich könne mitmachen, bietet sie mir an. Aber vielleicht sollte ich stattdessen zurück nach Santa Fe? Um herauszufinden, was es ist – die Stadt oder das Haus oder der Mann. Es ist schon ziemlich spät, als ich Frederic google. Ich klicke auf Bilder. Das erste ist ein Konzertplakat mit einem englischen Musiker, der denselben Namen trägt. «In concert with Stephen Porter», steht unter dem Bild. Stephan Poertner ist der Name meines Bruders. Das ist ein Zeichen!, denke ich – vielleicht habe ich schon ein Glas Wein zu viel getrunken. Aber ich beschließe in diesem Moment, meinen Bruder zu fragen, ob er mir das Geld leihen würde.

Er würde. Ich schreibe Frederic sofort: «Ich habe beschlossen, nächste Woche noch einmal nach Santa Fe zu kommen. Bist du da?»

In seinem postwendenden Antwortfilm lacht er nervös: «Und – wirst du in *deinem* Haus schlafen?»

Lake Milena: ein Traum

Ich sitze auf der Türschwelle «meines» Hauses in Santa Fe. Ja, es ist mein Haus, das ist im Traum ganz klar, und auch, dass ich nicht erst seit gestern dort lebe. Es ist alles so, wie ich es in Erinnerung habe. Aber dort, wo der kleine Gartensitzplatz ist, ist jetzt ein See. Ich sitze auf der Türschwelle und lasse die Füße im Wasser baumeln. Der Horizont ist weit, ich sehe das andere Ufer nicht. Ein Vogel lässt sich auf die Wasseroberfläche sinken, ganz nah. Die Sonne geht unter, es wird langsam kühl. Ich ziehe die Füße aus dem Wasser und lege meine Arme um die Knie. Gleich werde ich aufstehen und hineingehen. Jemand ist im Haus, ein Mann, ich sehe ihn nicht, ich weiß nicht, wer er ist, nur, dass er da ist. Ich drehe mich zu ihm um. «Ja», sage ich. «Ja. So könnte ich leben!»

On the road again

Der zweite Teil meiner Reise beginnt in San Francisco. Der Anwalt hat schlechte Nachrichten: Joe ist mit seiner Klage durchgekommen. Ich werde vor Gericht erscheinen müssen. Einen Termin gibt es noch nicht. Im Gegensatz zum Schweizer Rechtssystem liegt in Amerika die Beweislast beim Angeklagten. Ich muss also belegen, nicht schuld daran zu sein, dass Joe die Treppe hinuntergefallen ist. Falls das überhaupt passiert ist. Ich sammle E-Mails, Verträge, Korrespondenzen. Mein Anwalt leitet sie an die Versicherung weiter. Nichts in mir versteht, was da passiert. Niemand, dem ich es erzähle, versteht es. Manchmal befürchte ich, dass nicht einmal mein Anwalt es sich erklären kann. *Worst Case Scenario*: Ich verliere das Haus. Wenn Joe gewinnt, muss ich das Haus verkaufen, um ihn auszahlen zu können.

Was ich in dieser Zeit am häufigsten höre: «Ich hab doch immer gesagt, du sollst das Haus verkaufen! Das hast du nun davon!» Am zweithäufigsten: «Warum verklagst du ihn nicht, wenn das so einfach ist?» Ich gebe zu, ich war nahe daran. Doch mein Anwalt blieb anständig: «Das rate ich Ihnen nicht. Bei dem Typen ist nichts zu holen. Und wenn, dann fressen die Anwaltskosten es auf.» Das nächste Ziel ist nun, meine Versicherung zur Übernahme des Falls zu bewegen. Der Anwalt coacht mich am Telefon. «Sprechen Sie nicht über die Renovierungsarbeiten, die er für Sie erledigen sollte, sonst schieben Sie den Fall wieder mir zu, und dann wird es teuer für Sie!» Er verlangt dreihundert Dollar pro Stunde, aber er lässt sich auch in Sprüngli-Schokolade bezahlen. Seit Jahren habe ich keine Rechnung mehr von ihm bekommen. Manchmal habe ich das Gefühl, ich tue ihm leid. Das beruhigt mich nicht gerade. Doch seine Strategie geht auf, die Versicherung übernimmt den Fall, im Moment gibt es nichts mehr für mich zu tun. Ich will weg, ich will weiter, ich spüre, dass etwas geschehen wird. Etwas, das mein Leben verändert.

Frühmorgens fahre ich los, lasse die Stadt hinter mir, die wie immer im Sommer in eine dicke Nebeldecke gehüllt ist. Ich fahre über die Bay Bridge und Richtung Süden, nicht den wunderschönen Küstenhighway entlang, sondern den endlosen, schnurgeraden Highway 101. Mein Navigationssystem meint, in acht Stunden sollte ich bei meiner Freundin Lil in ihrem Wüstenhaus ankommen. Sofort setzt mein Wettbewerbsdenken ein: Von nun an geht es nur noch darum, das Navigationsgerät zu übertrumpfen: Haha, ich war schneller, als du dachtest! Weder nehme ich die Landschaft wahr, noch halte ich irgendwo an, um mich umzusehen. Ungeduldig drehe ich am Radio. Wenn ich Musik finde, die mir gefällt und der ich zuhöre, bis ich die Worte verstehe, stellt sich jedes Mal heraus, dass es sich um einen christlichen Sender handelt. Ich habe noch nicht einmal einen iPod. Wer geht schon so auf Reisen? Ohne jede Vorbereitung?

Plötzlich fällt mir ein, dass ich diese Strecke schon einmal gefahren bin. Ich wollte schon einmal ein Buch über einen Roadtrip schreiben. Einen Roman: *Nicht ganz Vegas* sollte er heißen. *Bananenfüße* wurde daraus. Damals fuhr ich zu Recherchezwecken von San Francisco nach Las Vegas. Allein in meinem silbernen Schlachtschiff, einem Cadillac aus den achtziger Jahren. Meine amerikanischen Freunde nannten es das «Pimpmobil». Aber ich glaube, jeder Europäer, der nach Amerika zieht, erliegt erst einmal der Versuchung, ein solches Schlachtschiff zu fahren. All die Filme sind nicht spurlos an uns vorübergegangen. Die Bilder, die uns geprägt haben, sind stärker als das schlechte Gewissen, der Gedanke an die Umwelt und an die Benzinkosten. Das Pimpmobil gab jedoch in der Nähe von Newman, California, den Geist auf. Ich konnte mich gerade noch auf den Pannenstreifen retten. Zum Glück hatte mir eine Freundin ihre Versicherungskarte mitgegeben. Darauf stand eine Telefonnummer, unter der ich einen Abschleppdienst bestellen konnte. Ich wurde also samt Caddie von der Straße gerettet und nach Newman geschleppt, wo ein Mechaniker meinte, er könne das Auto so weit herstellen, dass ich wieder nach Hause zurückkäme. «Aber nach Las Vegas fahren Sie damit nicht, Miss!»

»Haben Sie überhaupt eine Schusswaffe dabei?», mischte sich ein anderer ein. «Ohne Waffe kann eine Frau nicht allein durch die Wüste fahren.»

»Und Wasser – Sie haben ja gar kein Wasser eingepackt!»

Wer reist so, ohne jede Vorbereitung? Einer der älteren Männer, die in der Garage herumlungerten, bot an, mich auszuführen. Es gab ein Restaurant in der Stadt, das Le Paris hieß und wo man für fünf Dollar fünfundneunzig so viel essen konnte, wie der Magen aushielt. Jim erzählte mir ein bisschen etwas über seinen Wohnort. «Wir sind die Metamphetamin-Hauptstadt von Kalifornien», sagte er stolz. Als er dann auch noch präzisierte, sein Nachname Schwartz sei deutsch und nicht etwa jüdisch, nicht dass ich auf falsche Gedanken käme, verabschiedete ich mich. Mein Auto war fertig, ich fuhr zurück nach San Francisco. Unterwegs aß ich einen Hamburger, das weiß ich noch, weil ich das sonst nie tue. Meine Reise hatte keine vierundzwanzig Stunden gedauert.

Jetzt muss ich lachen. Ich hätte es wissen müssen. Für Roadtrips bin ich nicht gebaut. Ich will ankommen. Nicht unterwegs sein. Einen Augenblick lang erwäge ich, in Newman anzuhalten und zu schauen, ob das *Le Paris* noch existiert. Schon bin ich an der Ausfahrt vorbeigefahren. So geht es mir die ganze Zeit: Der Impuls, irgendwo anzuhalten, mir etwas anzuschauen, wird verdrängt von dem Bedürfnis, anzukommen, schon da zu sein. Der Weg ist nicht das Ziel. Nicht für mich. Zum Glück!, denke ich. Zum Glück hab ich den Roadtrip nicht durchgezogen! Schon nach zwei Tagen hinter dem Steuer sind meine Schultern eingefroren.

Gegen Abend komme ich bei Lil an, morgen ist ihr Geburtstag, das Haus ist voller Frauen. Wir reden über Beziehungen, und ich erzähle von meiner Ehe. Ich erzähle, dass ich am Ende so verunsichert war, dass ich nicht einmal einen öffentlichen Platz überqueren konnte. Mein Exmann spürte meine Unsicherheit, spürte, wie ich mich verkrampfte, und blieb stehen: «Wenn du so bist, habe ich gar keine Lust mehr, mit dir auszugehen!» Wir kehrten um, fuhren nach Hause, schweigend. Ich weinte, verzweifelt, warum war ich so? Warum konnte ich es ihm nicht recht machen? Aber auch: Warum liebte er mich nicht so, wie ich war? Manchmal schüchtern, manchmal selbstbewusst? Denn dieselbe Frau, die an seinem Arm den Platz nicht «richtig» überquerte, konnte am nächsten Abend allein in der Öffentlichkeit auftreten und das Publikum unterhalten.

Lil runzelt die Stirn. «So abhängig hab ich dich nie erlebt», sagt sie. Und: «Du klingst, als hättest du die ganze Sache noch längst nicht überwunden!» Da hat sie wohl recht – doch es ist nicht der Mann, den ich nicht vergessen kann, es ist die Frau, zu der ich an seiner Seite geworden bin. Und die ich nie mehr sein möchte. Doch irgendwo in mir schlummert sie noch, die Bereitschaft, mich in diese oder jene Richtung zu verbiegen. Lil weiß auch nicht alles, weil ich ihr nie alles erzählt habe. Ich habe niemandem alles erzählt, denn ich schämte mich für das Elend meiner Ehe. Ich schämte mich dafür, dass ich es so weit hatte kommen lassen.

»Versuch mal das», sagt Lil: «Rede einfach nicht mehr über die Vergangenheit. Lass nicht zu, dass sie die Gegenwart bestimmt!»

Das erinnert mich an etwas, das ich einmal gelesen habe. In Pam Houstons autobiographischen Essays. «Ich bin erwachsen genug, um die beiden großen Lose zu erkennen, die ich in der Psychen-Lotterie gezogen habe: Ich habe schlicht kein Erinnerungsvermögen für die wirklich schlimmen Dinge, und das Konzept der Scham habe ich auch nie wirklich kapiert.»

Irgendwo hab ich mir den Satz aufgeschrieben. Er leuchtete mir sofort ein. Obwohl oder gerade weil ich genau diese beiden Lose nicht gezogen habe, erkenne ich ihre Bedeutung. Vielleicht kann ich ja einfach so tun als ob? Fake it till you make it!

»Es ist einen Versuch wert.» Die Fähigkeit, glücklich zu sein, kann man trainieren wie einen Muskel. Auch das habe ich irgendwo gelesen.

Ich fahre weiter, übernachte in Arizona noch einmal. «Standing on a corner in Winslow, Arizona …» Wieder habe ich das Gefühl, das mich in Amerika an jeder Straßenecke überfällt: Das kenne ich. Hier war ich schon mal. Wer genügend Filme gesehen hat, war schon überall. Die *Posada* in Winslow ist das schönste der Harvey-Hotels, ein Meisterwerk der Architektin Mary Colter. Fred Harvey war der Mann, der den Wilden Westen zähmte, indem er Tischtücher und Porzellan, Kristallgläser und Tafelsilber einführte. Sowohl in den Speisewagen auf der Santa-Fe-Route wie auch in seinen Raststätten an der Strecke. Seine Angestellten wurden «Harvey Girls» genannt, sie trugen spezielle Uniformen und hatten makellose Umgangsformen. Es war eine Ehre, ein «Harvey Girl» zu sein. Judy Garland verkörperte eins von ihnen im gleichnamigen Film von 1946. Das Hotel wurde 1957 geschlossen und erst vierzig Jahre später wiedereröffnet, liebevoll und originalgetreu renoviert. Trotzdem bin ich enttäuscht: Das Hotel ist riesig und überfüllt. Na gut, es wird ja auch in jedem Reiseführer erwähnt. Busse stehen vor der Tür, die Touristen drängen sich in der Lobby. Die meisten übernachten nicht einmal, sie besuchen es wie ein Museum, einen Geschenkeladen. Überall gibt es Souvenirs zu kaufen, sogar an der Bar.

Im Speisesaal ist mir unwohl. Ich habe das Gefühl, als Einzige allein unterwegs zu sein. Das hat mir noch nie etwas ausgemacht. Aber jetzt habe ich das Gefühl, den Betrieb zu stören, das Personal zu verunsichern. «Sollen wir jemanden zu Ihnen setzen?» Der kleinste Tisch ist ein Vierertisch. Ich denke an die netten Gespräche im Zug nach New Orleans. Aber plötzlich mag ich nicht mehr.

«Nein, ist schon in Ordnung.»

«Hm.»

Nach dem Essen gehe ich zum Parkplatz zurück, um mein Computerkabel aus dem Kofferraum zu holen. Als ich öffnen will, kann ich den Autoschlüssel nicht finden. Da ich ständig Dinge verliere, weiß ich, was zu tun ist: Ich kippe den Inhalt meiner Handtasche auf den immer noch heißen Beton. Nichts. Ich spähe ins Wageninnere: Habe ich den Schlüssel stecken lassen? Auch nicht. Im Zimmer habe ich meine Handtasche nicht aufgemacht. Ich gehe – aber ich gehe nicht zurück ins Hotel, sondern den Eisenbahnschienen entlang in die Stadt hinein. Es ist immer noch heiß und beinahe taghell. Der volle Mond hängt hoch am Himmel, er leuchtet hell wie eine zweite Sonne.

Einen Moment lang bin ich beinahe erleichtert. Ich habe meinen Autoschlüssel vergessen, das heißt, ich kann nicht weiterfahren. Das heißt, ich kann das Haus nicht kaufen. Ich muss mein Leben nicht ändern, ich muss meine Mutter nicht noch mehr enttäuschen … Da bleibe ich stehen. Ein in Bronze gegossener Hippie steht an der Straßenecke und erinnert an die Songzeile der Eagles. «Standing on a corner …» Ich weiß nicht mehr weiter, ich bin so müde. Ich lehne mich an ihn. «Milena», sagt er. «Jetzt hör mal zu. In zwei Wochen wirst du fünfzig. Wenn du jetzt nicht anfängst, dein Leben zu leben, wann dann? Willst du etwa so enden wie ich?»

Das will ich nicht. Ich gehe zum Hotel zurück, wo mein Autoschlüssel an der Rezeption auf mich wartet.

Am nächsten Tag fahre ich wieder einmal vom Süden her, von Albuquerque, nach Santa Fe hinein. Schon ist mir die karge Landschaft vertraut, das Licht. Die Art, wie die Straße aufsteigt, schnurgerade mitten in den nächsten Berg hinein und dann über das Hochplateau. Irgendwo weiter draußen schlängelt sich der leuchtend gelb und rot bemalte Rail Runner, der Pendlerzug, der zwischen Albuquerque und Santa Fe verkehrt, durch die Hügel. Mein Zug. Meine Hügel. Mein Licht. Eine seltsame Ruhe überkommt mich nach der Aufregung der letzten Tage. Jetzt bin ich hier. Irgendetwas wird passieren. Ich sehe von weitem die grüne Meerjungfrau von Starbucks, die mich schon auf der ersten Fahrt gelockt hat. Diesmal habe ich Zeit, ich nehme die Ausfahrt, trinke, esse etwas, dann gehe ich in den Drugstore, trödle fast eine Stunde zwischen den Regalen herum, kaufe lauter Dinge, die ich nicht brauche, Shampoos und Gesichtsmasken und Haarbänder. Die junge Frau an der Kasse fragt mich, wo ich herkomme und wo ich hinwill.

«Nach Santa Fe», sage ich.

«Leben Sie dort? Oder machen Sie Ferien?»

«Ich weiß es noch nicht», antworte ich ehrlich.

Sie zuckt mit den Schultern, als hätte sie das schon oft gehört. «Santa Fe», sagt sie, «wie schön!» Sie war selber noch nie dort, erzählt sie, dabei hat sie ihr ganzes Leben hier verbracht, keine vierzig Kilometer entfernt. Santa Fe ist für sie exotischer als für mich. Ich bekomme eine erste Ahnung von der Tiefe des Grabens, der Reich und Arm hier trennt.

Ich fahre weiter, meinem Schicksal entgegen. Ich fahre an Katchies Ausfahrt vorbei und in die Stadt hinein. Als ich die Autobahn verlasse, biege ich von der falschen Seite in den dreispurigen Saint Francis Boulevard ein. Drei Reihen Autos donnern mir entgegen, ich rette mich im Rückwärtsgang in die Ausfahrt zurück. Das Herz hämmert in der Kehle, meine Hände zittern, hinter mir wird gehupt. Ich fahre weiter, ganz langsam, ich brauche lange, bis ich mich beruhigt habe. Ich habe ein Zimmer in einem Motel am Stadtrand gebucht, es hat einen Swimmingpool, doch am Ende gehe ich kein einziges Mal hinein. Das Zimmer liegt ungeschützt zum Parkplatz hin, ich weiß nicht, wie wohl ich mich hier fühle. Es ist heiß. Ich dusche, dann rufe ich Frederic an. Ich ziehe ein gelbes Kleid an und mache mich auf den Weg. Als ich aus dem Auto steige, zittere ich. Dann steht Frederic vor mir. Ich schaue an seiner Schulter vorbei zum Haus. Die Tür steht offen. Ich weiß es sofort:

Frederic bietet mir einen Drink an, erzählt von den vergangenen Wochenenden, an denen er das Haus für Interessenten geöffnet hat, wie anstrengend das war. Doch ein Immobilienhai aus Texas, dem bereits das Nebenhaus gehört, zeigt Interesse. Er will die beiden Häuser zusammenlegen. Im Klartext: abreißen. «Das fände ich natürlich sehr schade.» Er fragt noch einmal, warum ich keinen Kredit bekommen habe. «Das leuchtet mir einfach nicht ein, ich habe Freunde aus Schweden, die …» Ich unterbreche ihn: «Lass mich dir eine Geschichte erzählen.» Auf der langen Autofahrt habe ich Selbstgespräche geführt. Ich habe die ganze Geschichte geprobt. Das ist schließlich mein Beruf: Ich bin Geschichtenerzählerin. Und so erzähle ich Frederic, wie ich ihn gegoogelt und wie ich dann meinen Bruder angepumpt habe, und schließe mit den Worten: «Jetzt kann ich das Haus kaufen.» Die Pointe hat die erwünschte Wirkung. Frederic spuckt beinahe seinen Drink aus. Er springt auf, breitet die Arme aus und lässt sie wieder fallen, er weiß nicht, was er sagen soll. «Willst du es dir nicht noch mal anschauen?» Ich schüttle den Kopf. Nicht nötig. Wir sitzen in den gemütlichen Sesseln auf dem Sitzplatz, und es fühlt sich schon beinahe so an, als sei er bei mir zu Besuch.

Er ruft sofort George an, um ihm die gute Nachricht zu überbringen. Der bestellt mich für den nächsten Morgen in sein Büro, um das Angebot aufzusetzen. «Oh, ich sollte wohl Shawn anrufen», sage ich, Katchies Immobilienhändlerin.

«Warum solltest du das tun?», fragt Frederic. «Dann zahlst du nur extra Gebühren. George kannst du vertrauen.»

«Okay», sage ich und stecke mein Handy wieder weg. So einfach. Später wird Katchie mich an der Schulter packen und schütteln: «Das sagen sie doch immer! Stimmt doch gar nicht! Aber wenn du deine eigene Agentin hast, müssen sie die Provision teilen!» Sie wird sich noch öfter darüber ärgern, dass sie nicht da war, um mich vor mir selber zu schützen. Aber ich bin allein, und ich gehe auf meine Art vor, intuitiv und vertrauensvoll. Denn das bin ich immer noch: voller Vertrauen.

«Das müssen wir feiern», sagt Frederic und springt wieder auf. Wir gehen zu Fuß die Canyon Road hinunter, ich erkenne die Galerien, die ich mit Katchie besucht habe, und betrachte sie schon mit anderen Augen. Nicht mit denen der Touristin, die nicht zu Unrecht befürchtet, übers Ohr gehauen zu werden, sondern mit den Augen der Nachbarin, die weiß, dass wir alle irgendwie durchkommen müssen. Frederic zeigt mir seine erste Wohnung in Santa Fe, nur ein paar Häuser weiter, und die Künstlerresidenz, wo er im Juli ein Atelier und eine Wohnung beziehen wird. «Wie fühlt es sich für dich an, dein Haus zu verlassen?», frage ich. Irgendwie habe ich es im Gefühl, dass dieser Umzug nicht ganz freiwillig ist.

«Santa Fe ist ein Ort, an dem man sich neu erfindet», sagt er. «Ich hatte irgendwie gehofft, dass ich hier selber mehr Kunst machen würde, einfach weil ich so nah an allem dran bin, mittendrin lebe …» Stattdessen arbeitet er für die Kinder- und Jugendfürsorge. Gerade hat die Regierung eine Studie über die Situation der Kinder und Jugendlichen im Land veröffentlicht: New Mexico ist überall auf dem letzten Platz, und innerhalb New Mexicos schneidet Santa Fe County meist am schlechtesten ab. Armut, Missbrauch, Gewalt, Abschlussquoten, Schwangerschaften, Drogen, Alkohol … Die Lage ist prekär. Nicht in den Appalachen, nicht in den Bayous von Lousiana. Genau hier, wo all die Multimillionäre, die Filmstars ihre Zweithäuser haben? Zweithäuser, so ist es: Die Bevölkerung schwillt im Sommer und über Weihnachten von achtzigtausend auf dreihundertsechzigtausend Einwohner an. Diese Teilzeiteinwohner bringen Geld in die Stadt, aber an den Strukturen sind sie nicht interessiert. Ihre Kinder gehen nicht hier zur Schule. Die Politik geht sie nichts an.

In San Francisco hat mich dieser Zuschauerstatus, diese Korrespondentenrolle mit der Zeit bedrückt. Ich wollte Teil der Gemeinschaft sein, in der ich lebe. Ich wollte etwas dazu beitragen. Wird das hier möglich sein? Werde ich überhaupt hier leben können? Wie alle wichtigen Fragen kann ich auch diese nicht beantworten. Noch nicht.

«Die Regierung hat uns zwei Agenten geschickt, die uns auf Schritt und Tritt begleiten, um unsere Arbeit zu überprüfen», erzählt Frederic. «Wir nennen sie die ‹Feds›. Man könnte sagen: Panik herrscht!»

Er wird auch nach seinem Umzug in das Künstleratelier weiter für die Behörde arbeiten. Aber der Aufenthalt ist an eine Bedingung geknüpft: Jeder Bewohner muss zweimal pro Jahr eine Ausstellung bestreiten. Die erste soll bereits nach einem halben Jahr stattfinden. «Ich bin also wieder zum Zeichnen gezwungen», sagt Fred. «Auch wenn ich die Arbeit auf dem Amt nicht ganz aufgeben kann, noch nicht. Was war noch mal deine Frage?»

«Ob es dir schwerfällt, aus dem Haus auszuziehen.»

«Hmm … ganz ehrlich?»

»Ja, bitte!»

«Wenn ich diese Chance nicht bekommen hätte, wäre es wohl schwieriger gewesen», sagt er. «Aber ich hab nun mal diesen Siebenjahresrhythmus, sieben Jahre New York, sieben Jahre Santa Fe.»

Du lebst aber immer noch in Santa Fe, denke ich. Wir gehen die Canyon Road hinunter, biegen an Nathalies Boutique in die Delgado Street ab, überqueren den Santa Fe River, der vollkommen ausgetrocknet ist. Ein bisschen kenne ich mich hier schon aus. Ich stelle mir vor, wie ich diesen Weg öfter gehen werde, irgendwann in der Zukunft – wenn ich hier lebe? Mein Leben ist auf Jahre hinaus verplant. Mein jüngerer Sohn geht noch zur Schule. Wer ein Ferienhaus kauft, muss mindestens in Betracht ziehen, auch tatsächlich Ferien zu machen. Am anderen Ende der Welt? Und doch sind mir diese Wege schon jetzt vertraut. Bevor ich sie mehr als einmal gegangen bin.

Schließlich landen wir im Garten der Posada – wieder eine Posada, wörtlich: ein Ort, um sich hinzusetzen, auszuruhen. Diese hier ist anders als die in Winslow. Ein Luxushotel. Die Gäste sind schick auf diese angestrengte, amerikanische Art, die immer ein bisschen zu weit geht, ein bisschen zu förmlich wirkt. Frederic und ich fallen aus dem Rahmen, er trägt Shorts, ich ein zerknittertes Kleid. Es ist angenehm, nicht allein zu essen, denke ich. Im Hintergrund spielt ein Musiker Gitarre. Plötzlich horche ich auf. Er singt «Don't fence me in». Das ist mein Lied! Das erste Lied, das ich gesungen habe. Auf der Bühne auch noch. Dabei gibt es nichts, wovor ich mehr Angst hätte als vor dem Singen.

Doch: vor Spinnen. Doch dieser Angst habe ich mich gestellt. Vor drei Jahren habe ich mich spontan zum Seminar «Angst vor Spinnen?» im Zürcher Zoo angemeldet. Die Angst vor Spinnen machte mein Leben kleiner, seit ich ganz klein war. Ich konnte keinen Raum betreten, ohne in die Ecken zu spähen, ich habe schon halbe Tage in einem Zimmer verbracht, den Blick auf den Türrahmen geheftet, an dem eine große schwarze Spinne klebte, unfähig, unter ihr hindurchzugehen oder sie aus den Augen zu lassen. Ich träumte regelmäßig von acht haarigen Beinen, die über mein Gesicht tapsten, sich in meinem Mund verfingen, und schreckte panisch auf. Meine Weltkarte hatte große weiße Flecken: Überall dort, wo große Spinnen lebten, konnte ich nicht hin.

Der Kurs wird von einem Spinnenexperten und einem Psychologen geleitet. Die Information, dass Vogelspinne Sophie in einem zugedeckten Terrarium im Nebenraum auf uns wartete, machte mich so nervös, dass ich kaum zuhören konnte. Immer wieder wanderten meine Augen zur verschlossenen Tür. Mein Herz schlug holperig im Takt zu einem Gedicht von Ernst Jandl: «O o Sophie so viel Vieh o Sophie ...»

Der Psychologe riet uns, die körperlichen Reaktionen zu registrieren und auszuhalten. Während ich das Bild einer Spinne betrachtete, anfasste, schließlich auf meine Hand projizieren ließ, schlug mein Herz schneller, meine Hände wurden taub, kalter Schweiß brach aus. Doch das verging auch wieder. Jedes Mal.

In den Infoblöcken übertrug sich etwas von der unüberhörbaren Faszination des Experten auf mich. Spinnen, so erfuhr ich, tragen ihr Herz im Hinterteil mit sich herum, nur unzulänglich geschützt durch eine Hautschicht. Das rührte mich. Seltsam. Und schon streckte ich den Finger aus und berührte Sophies abgestreifte Haut, die sich überraschend seidig und fein anfühlte.

Die lebenslange Angst vor Spinnen hat eine Schneise in mein Hirn geschlagen, die nicht mehr zuwächst. Aber, und das ist die gute Nachricht: Ich kann eine neue Spur legen. Indem ich ein «positives Erlebnis» mit einer Spinne habe. Positives Erlebnis?

Als Sophie ihre langen Beine nach meiner Hand reckte, bekam ich erst einmal keine Luft. «Aushalten!», rief der Psychologe. Wenn ich mein Ziel, den Tag zu überleben, erreichen wollte, musste ich wohl oder übel weiteratmen. Eine nach der anderen setzte Sophie ihre seidenglatten Füße auf meine Haut, ein zartes Tapsen, und plötzlich passierte, was ich nie für möglich gehalten hätte: Ich fand sie schön.

Und dann? Was hatte ich nun davon? Ich plante keinen Fußmarsch durch den Regenwald, ich legte mir kein achtbeiniges Haustier zu. Ich lebte weiter wie immer, einfach mit einer Angst weniger.

Mit einer Angst weniger! Was das bedeutete, merkte ich erst mit der Zeit. Der Psychologe hatte von den Schneisen im Hirn gesprochen. Er verglich sie mit einer Autobahn, die stillgelegt wird. Je länger sie nicht benutzt wird, desto mehr wird sie von der umliegenden Natur überwuchert und einverleibt, bis sie kaum mehr sichtbar ist. Während man ein paar Kilometer weiter eine neue Schneise schlägt, eine neue Straße baut. Und je länger man diese benutzt, desto weniger erinnert man sich daran, dass es einmal eine andere gab. Doch sie ist immer noch da, unter dem Unkraut verborgen.

Eine Autobahn braucht Platz, das heißt, mein Hirn ist groß. Das heißt, ich kann beliebig neue Verbindungen schaffen, Spuren legen, Trampelpfade, Landstraßen, Autobahnen. Nichts muss so bleiben, wie es ist. Nichts muss so sein, wie es war. Ich – so wie ich mich sehe, wie ich mich definiere – muss nicht so bleiben. Alles ist möglich.

Dass ich mich von meinem Mann trenne, zum dritten Mal und für immer. Und auch, dass ich ein Jahr später auf der Bühne stehe und singe. Bis zum Schluss hatte ich mich dagegen gewehrt. «Ich kann das nicht», sagte ich. «Ich kann nicht singen!» Aber ich hatte das Lied ausgesucht, als Schlussnummer. Ich wollte eine freie schweizerdeutsche Übersetzung darüberlegen. Singen sollte Sibylle – das ist schließlich ihr Beruf. Doch die Regisseurin bestand darauf. Unter Todesqualen, so kam es mir vor, piepste ich: «Oh, give me land, lots of land …» Dann versagte meine Stimme, und ich brach beschämt ab. Doch die Regisseurin gab nicht auf. «Lauter!», rief sie. «Noch einmal!» Immer wieder. «Sing falsch! So falsch du nur kannst!»

Bis ich schließlich den Mund aufriss und unter Tränen brüllte: «Don't fence me in!»

So vielen großen Ängsten habe ich mich gestellt in den letzten Jahren. So viele scheinbar unüberwindbare Hürden genommen. So oft bin ich ins Leere gesprungen. Und doch denke ich jetzt, wenn ich in diesem Gartenlokal sitze und auf den Hauskauf anstoße, zuerst einmal dies: Was wird meine Mutter dazu sagen? Sie war so glücklich, dass es nicht geklappt hat. Ich habe ihr nicht gesagt, dass ich noch einmal nach Santa Fe fahren, mir das Haus noch einmal anschauen würde. Denn ebenso gut hätte sich herausstellen können, dass es doch nicht das Haus war. Sondern die Stadt. Oder der Mann. Oder nichts von allem. Jetzt aber muss ich es ihr sagen.

«Das ist mein Lied», sage ich zu Frederic. Wir unterhalten uns angeregt, wie alte Freunde, er erkundigt sich nach meiner Arbeit. «Erzähl mir von deinem ersten Buch», sagt er. Und ich erzähle, verstumme irgendwann verlegen. Ich rede von Berufs wegen genug über mich, privat höre ich lieber zu. «Und dann?», fragt Frederic weiter. «Was war mit deinem zweiten Buch?» Und als ich schweige, doppelt er nach: «Ich hab dich gegoogelt – du hast ja ganz schön viele Bücher geschrieben. Also, los, erzähl schon – das zweite? Das dritte?»

Ich winde mich und winke ab. Doch ein Lächeln bleibt. Ich lächle noch, als ich vor seinem – meinem – Haus wieder ins Auto steige und er mir eine Flasche Wasser reicht.

«Nicht dass du austrocknest unterwegs.» Das Wüstenklima ist gewöhnungsbedürftig, auch die Höhe von über zweitausenddreihundert Metern über Meer. Seine Fürsorge rührt mich. Ich lächle noch, als ich wieder im Motel ankomme. Das ist der Beginn einer wundervollen Freundschaft, denke ich.

Allein in Santa Fe

Am nächsten Tag gehe ich zu George ins Büro und unterschreibe mein Angebot. Instinktiv gehe ich nicht zu tief unter den geforderten Preis. Frederic hat mir versprochen, alle Möbel stehen zu lassen. Ich bekomme also ein fertig eingerichtetes Haus. Ein schön eingerichtetes Haus außerdem. «Warten wir's ab», sagt George. «Ich kenne Frederic unterdessen ein bisschen. Gut möglich, dass er seine Meinung noch einmal ändert.»

Es ist seltsam, allein zu sein. Niemanden zu haben, den es interessiert. Oder genauer, den es freut. Ich gehe zu Fuß zur Plaza und setze mich auf eins der Bänklein im Park. Im Pavillon stellt eine Band ihre Instrumente auf. Beinahe jeden Tag werden hier gratis Konzerte gespielt, von mittags bis abends. Habitués treffen ein, stellen ihre Campingstühle auf, in respektvollem Abstand zur Bühne. In dem Halbkreis davor drehen sich die Paare. Die meisten haben graue Haare. Sie tragen vernünftige Schuhe. Fasziniert beobachte ich einen älteren Herrn, der eine erstaunlich leichtfüßige, schwerelose Salsa hinlegt – in ausgeleierten Crocs. Eine Frau mit silberweißem kurzgeschnittenen Haar trägt Hotpants und Unterhemd, eine andere ein blauschimmerndes, paillettenbesetztes Ganzkörpertrikot. In der Zeitung stand neulich, dies sei der beste Platz, um alle Hemmungen fallen zu lassen. Unauffällig trete ich von einem Fuß auf den anderen. Irgendwann werde ich schon noch tanzen, denke ich. Irgendwann, irgendwo, mit irgendwem. Oder mit mir allein.

Ich schaue mich um: Niemand außer mir scheint allein unterwegs zu sein. Ich weiß, dass das nicht stimmen kann. Gestern noch hatte ich dieses Gefühl nicht. Meine Wahrnehmung hat sich verändert, über Nacht: Ich habe ein Haus gekauft. Ich lebe jetzt hier – mindestens im Moment. Es ist etwas anderes, allein zu reisen, als allein zu leben. Jetzt, in diesem Moment, wünsche ich mir sehnlichst, es wäre jemand da. Jemand, dem ich erzählen könnte. Jemand, mit dem ich anstoßen könnte. Jemand, der sich mit mir freut.

Es hat etwas seltsam Unwirkliches: Der Konferenzraum im Immobilienbüro, George bietet mir ein Glas Wasser an, ich unterschreibe, das war's. Ich habe ein Haus gekauft! Habe ich das wirklich, wenn niemand davon weiß?

Ganz offiziell ist es noch nicht. Dreißig Tage dauert der Escrow, die Verkaufsphase. In dieser Zeitspanne findet eine unabhängige Inspektion statt, allfällige Bauschäden werden aufgedeckt, der Preis wird angepasst, es wird diskutiert, wer für die Reparatur zuständig ist. Gleichzeitig werden meine Finanzen geprüft. Ich muss einen Kontoauszug vorlegen. Mein Bruder hat das Geld überwiesen. Mein Konto platzt aus allen Nähten.

Ich ziehe vom Motel am Stadtrand in ein teures Hotel in der Innenstadt. Es ist ein Geschenk, das ich mir selber mache: Ich feiere für mich allein. Als ich mit dem Mietauto vorfahre, steht ein älterer Herr an der Tür und schaut heraus. Ich fahre an ihm vorbei zur Garage, stelle mein Auto ab, nehme meinen kleinen Koffer und trage ihn zur Rezeption. «Oh, Sie sind es, Milena!», ruft der Concierge. «Manolo, hier ist sie ja!» Der alte Mann an der Türe dreht sich zu uns um. Beinahe vorwurfsvoll sagt er zu mir: «Ich habe doch auf Sie gewartet.»

«Sie ist an dir vorbeigeschlichen», scherzt der Concierge. Doch mir schießen die Tränen in die Augen. Jemand hat auf mich gewartet, hat sich am Fenster die Nase platt gedrückt, sich sogar Sorgen gemacht – meinetwegen! Braucht es so wenig? Ist es das, was mir fehlt, dass jemand auf mich wartet? Sei vorsichtig mit deinen Wünschen, fällt mir ein. Sie könnten ja in Erfüllung gehen. Jahrelang sehnte ich mich nach genau dieser Freiheit. Niemandem Rechenschaft schuldig zu sein. In der Masse unterzugehen. Es fühlt sich bei weitem nicht so gut an, wie ich dachte.

«Sind Sie beruflich hier?», fragt der Concierge.

«Nicht wirklich ...» Spontan erzähle ich den beiden Männern alles. Dass ich ein Haus gekauft habe. Sie nehmen großen Anteil. In den nächsten Tagen werden sie mich immer wieder nach dem Stand der Dinge fragen, mir mit dem Papierkram helfen, sich mit mir freuen. Bald ist das ganze Personal in meinen Hauskauf involviert. Ich bin gar nicht so allein, wie ich dachte.

Manolo trägt meinen Koffer, ich geniere mich, der Mann reicht mir bis zur Schulter, er ist alt. Ich habe ein wunderschönes, großes Zimmer, ein schönes Bad. Sonst nichts. Es gibt keinen Pool, keine Wellness, kein gar nichts. Egal. Wieder bin ich die Einzige, die allein reist. Isst. An der Bar sitzt. Aber alle Angestellten kennen meine Geschichte. Und ich ihre Namen. Ich habe das Gefühl dazuzugehören. Wozu? Das weiß ich nicht.

Am ersten Abend legt ein Gewitter die Energieversorgung der ganzen Innenstadt lahm. Es gewittert oft im Sommer, fast jeden Tag. Der Himmel verdunkelt sich dramatisch, wechselt blitzschnell von strahlend Blau zu Dunkelviolett. Blitze zucken waagrecht durch den Himmel, dicke Tropfen klatschen auf den noch heißen Asphalt, verdampfen. Man nennt es die Monsoon Season – auch wenn der Regen meist nicht länger als zehn Minuten anhält. Der Santa Fe River, der am Rande der Altstadt entlangläuft, ist ausgetrocknet. An diesem Abend aber holt das Gewitter aus. Ich sitze am Tresen, allein, als das Licht ausgeht. Eben habe ich noch versucht, der ausgelassen feiernden Gruppe in der Ecke Namen zuzuordnen. Es sind die Darsteller der Fernsehserie *Longmire*, die zwar in Wyoming spielt, aber hier gedreht wird. Santa Fe bietet Film- und Fernsehproduktionsgesellschaften Steuervergünstigungen an. Deshalb wird hier viel gedreht. Deshalb leben viele Schauspieler, Regisseure und Filmproduzenten hier. Während der Dreharbeiten verlieben sie sich in die Stadt, in die Landschaft, das Licht. Sie kaufen ein Haus – dann ruft die nächste Rolle, der nächste Film. Viele unglaublich schöne Villen und Ranchhäuser stehen leer.

Blitz und Donner, dann wird es dunkel. Die ganze Stadt ist schwarz. Einen Moment lang ist es still, dann reden alle durcheinander, viel zu laut. Ich bleibe still sitzen. Ich bin verschwunden, von der Dunkelheit verschluckt. Es gibt mich nicht mehr. Wie ein Kind, das sich versteckt, indem es die Hände vors Gesicht hält. Ich unterdrücke ein Kichern: Das ist Freiheit. Niemand weiß, wer ich bin. Oder wo ich bin. Im nächsten Moment steht ein Kellner neben mir mit einer Taschenlampe. Der Drink geht aufs Haus, sagt er, und: «Darf ich Sie zu Ihrem Zimmer begleiten?»

Im Zimmer liegt ein Leuchtstick auf dem Bett. Bevor ich einschlafe, schaue ich mir einen neuen Film von Frederic an. Er habe vergessen, sein Handy aufzuladen, und ohne Strom … «Falls wir also nichts mehr voneinander hören sollten, liebe Freunde, es war schön!» Er lacht. In diesem Moment geht das Licht wieder an.

Am nächsten Morgen ruft George an: «Frederic hat dein Angebot nicht angenommen.»

«Was?» Damit habe ich nicht gerechnet. «Warum denn nicht?»

«Er hat mich gebeten, ehrlich zu sein zu dir: Er braucht mindestens dreihundertfünfundachtzigtausend, um seine Schulden zurückzahlen zu können.»

«Oh, ah. Okay.» Immer noch zehntausend unter dem ursprünglich geforderten Preis. Wenn Katchie jetzt hier wäre, würde sie mich ermahnen, ich solle eine zweite Meinung einholen, ich solle hart bleiben. Aber sie ist nicht da, und so gebe ich nach. Ich gehe wieder bei George vorbei, unterdessen kenne ich mich wenigstens in der Innenstadt recht gut aus. Ich unterschreibe das neue Angebot, wir vereinbaren einen Termin für die Inspektion. Frederic reagiert sehr ausweichend, als ich ihn daran erinnere, dass er am ersten Juli das Haus räumen wollte. Langsam merke ich, dass ich nichts so wörtlich nehmen darf, wie er es gesagt hat. Ich kann mich auf nichts verlassen.

George ruft wieder an: Es gibt ein Problem mit meinem Kontoauszug. «Was soll das heißen?» Ich werde leicht hysterisch. «Das darf doch nicht wahr sein! Wenn jetzt etwas schiefgeht, habe ich meine Mutter für nichts und wieder nichts verärgert!»

«Nun …» Darauf hat George, gut fünfzehn Jahre jünger als ich, keine Antwort. Und plötzlich sehe ich mich von außen: eine fast fünfzigjährige Frau, eine erfolgreiche Schriftstellerin, die im Begriff ist, ein Haus zu kaufen – und Angst hat, ihre Mutter zu enttäuschen. Ich atme tief ein und wieder aus. «Sorry about that», sage ich. Mit einer Entschuldigung kommt man in Amerika sehr weit. Vielleicht ist es das, was mir hier gefällt: dass niemand Angst hat, einen Fehler einzugestehen. Wie ehrlich das immer gemeint ist, vor allem von Politikern, ist eine andere Frage. Aber es vereinfacht das tägliche Leben, das Miteinander, schon sehr, wenn jeder grundsätzlich bereit ist zu sagen: «Mein Fehler, tut mir leid.»

«Was ist das Problem?», frage ich, schon wieder ganz gelassen. Und es stellt sich als ganz einfach heraus: Der Kontoauszug, den ich aus der E-Banking-Ansicht kopiert habe, zeigt nur die Hälfte des Formulars. Ich gehe mit meinem Laptop an die Rezeption und frage die jungen Frauen, die gerade Dienst haben, ob sie mir helfen können.

«Oh, geht es voran mit dem Hauskauf?» Ich schwatze mit der Älteren, während die Jüngere, Luisa, einen Screenshot macht. Ich bedanke mich überschwenglich. Streng schaut sie mich an: «Soll ich es Ihnen nicht noch einmal zeigen? Damit Sie es in Zukunft selber können?»

«O ja, das wäre sehr nett!»

«Kein Problem. Meiner Mutter muss ich auch immer alles mehrmals erklären!»

Ich entdecke die Stadt, ganz für mich allein. Gebe viel Geld aus, für Essen, für Opernkarten. Frederic schickt mir immer noch mehrmals täglich Links zu Restaurants, zu Schuhläden, die gerade Ausverkauf haben, zu einem japanischen Bad hoch oben in den Hügeln. Immer wieder frage ich mich, was ich an der Stadt finde. Meist ist es der Ausblick, der mir den Atem verschlägt. Die Landschaft. Nicht die Stadt selber. Ich gehe zum Märtyrerkreuz hinauf, weil ich in der Zeitung gelesen habe, das sei der beste Ort, um sich selber leidzutun – und um die Liebe seines Lebens zu finden. Nichts von beidem trifft ein, dafür habe ich einen unglaublichen Blick über die Stadt.

Von hier sehe ich auch, wie sich die Stadt entwickelt hat. Die Adobe-Architektur der Pueblos wurde nämlich erst Anfang des zwanzigsten Jahrhunderts wiederentdeckt. Von fünf Künstlern, die sich selber ganz nüchtern Los Cinco Pintores nannten, die aber bald als «Mud Hut Nuts» bekannt wurden, als Lehmhüttenspinner. Sie erkannten ganz richtig, dass die traditionelle Bauweise dem Hochwüstenklima besser angepasst war als jede moderne Architektur. Die manchmal meterdicken Lehmmauern halten Kälte wie Hitze gleichermaßen ab. Während also an der Palace Avenue moderne Backsteinhäuser gebaut wurden, legten die Künstler am Camino Monte del Sol, allgemein nur Camino genannt, als gäbe es keinen anderen in der Stadt, auf ihren Grundstücken die Lehmziegel zum Trocknen aus. Die Schriftstellerin Mary Austin, die nach einem Nervenzusammenbruch 1924 nach Santa Fe gezogen war, soll von einer Besucherin gefragt worden sein, ob sie ihr die «Nut Row», die Spinnerstraße, zeigen könne. «Du weißt schon, die Straße, an der diese Spinner ihre Lehmhütten bauen!» So ist der Name Mud Hut Nuts entstanden. Und Mary Austin ließ sich gleich ihr eigenes Adobe bauen, ihre Casa Querida, ihr «geliebtes Haus». Es sollte Jahre dauern, bis ihre Häuser fertig wurden, sie stehen heute noch, unverwüstlich. So nahm das Adobe-Fieber seinen Anfang, bald wollten auch die einflussreichen Gattinnen der Gesellschaft solche Häuser haben, und dann war die ganze Stadt mit einer Lehmschicht überzogen. Die Lehmhüttenspinner hatten gewonnen.

Mich begeistert die berühmte Adobe-Architektur nicht so sehr. Hier, von oben, erscheint die Stadt wie ein Ameisenhaufen. Wie ein anthroposophischer Traum. Doch ein paar Tage später besuche ich das Kunstmuseum. Ich stehe im Skulpturengarten, lege den Kopf in den Nacken, über mir der sattblaue Himmel im perfekten Kontrast zu den dicken hellbraunen Mauern, den dunkleren Holzbalken. Jetzt sehe ich es zum ersten Mal: Das ist schön. Das ist wirklich schön. Ich muss über mich selber lachen: Die meisten verlieben sich zuerst in die Stadt und beschließen dann hierherzuziehen. Mich hat das Adobe-Fieber erst im Nachhinein erfasst. Aber immer noch besser als gar nicht.

Ich kann nicht sagen, was es ist. Die Landschaft, das Licht, die dünne Luft, all das, doch noch mehr. Vielleicht was Paul Horngа in *The Centuries of Santa Fe* formuliert: «Die einen schrieben es der Höhenluft zu, andere dem Licht, den Farben überall. Doch über all das hinaus war noch etwas anderes zu spüren. Eine Andeutung von Freiheit im Verhalten, nicht auf eine unanständige oder öffentliche Weise, sondern vielmehr als eine Möglichkeit für jeden Einzelnen, sein Leben im freien Ausdruck zu leben. In diesen modernen Zeiten war das vielleicht die bedeutungsvollste Attraktion von Santa Fe.»

Mein Leben so zu leben, wie es für mich stimmt: Das ist genau, was ich gesucht habe. Das ist das Glück. Und offensichtlich ist es kein Zufall, dass ich diese «Andeutung einer Möglichkeit» gerade hier gefunden habe. Jeden Tag fühle ich mich wohler hier. Ich kann wieder gut allein sein. Ich fühle, wie etwas in mir wieder aufwacht. Ich mag die warme, trockene Luft auf meiner Haut. Ich mag es, die staubigen Straßen entlangzugehen. Wie in einem gesprungenen Spiegel sehe ich mich jetzt und eine Version von mir, nur ein bisschen anders, ein bisschen älter, ein bisschen weiter. Eine Frau, die in einem der buntbespannten Gartenstühle unter dem Sonnenschirm sitzt und in ein Heft schreibt. Eine Frau, die den schmalen Gartenstreifen um den Sitzplatz herum bepflanzt.

Lavendel und Kamillenstauden und vielleicht etwas, das den groben Holzzaun hinaufklettern kann. Eine Frau, die ein Feuer macht im Cheminee, die auf der Fensterbank sitzt und liest. Eine Frau, die nachts vor ihr Haus tritt, den Kopf in den Nacken legt und den ganzen Himmel über sich hat und alle Sterne.

Die Inspektion

Wir treffen uns in dem Haus, das ich bereits als meins betrachte. George ist schon da, der Inspektor auch. «Bin ich zu spät?», frage ich.

«Nein, nein, alles bestens!» Auch hier fehlt mir Katchie, die später analysiert: «Die haben sich doch abgesprochen.» Oder ihr Mann Joshua, der sagen wird: «Wenn hier in New Mexico jemand zu früh zu einer Verabredung erscheint, stimmt was nicht.»

Doch ich denke nichts Böses, unterhalte mich mit Javier, dem Inspektor, der ursprünglich aus Mallorca stammt. Wir tauschen die üblichen Europa-versus-Amerika-Anekdoten und -Gedanken aus. Es sind alle so nett hier, denke ich. Javier öffnet die Klappe zum gefürchteten «crawl space», also dem «Kriechraum». Hier haben die wenigsten Häuser einen richtigen Keller und auch kein Fundament, sondern im besten Fall einen halben Meter Raum zwischen dem Fußboden und dem Erdboden. Als ich einmal in San Francisco den schrecklichen Linoleumbelag vom Badezimmerboden entfernen wollte eine Ecke des Belags löste und daran zog, prallte ich fast zurück– zwanzig Zentimeter unter mir war die nackte Erde. Schnell deckte ich das Loch wieder zu und rief einen Handwerker an, der mich beruhigte: «Das ist doch ganz normal, was haben Sie denn erwartet?» Ja, was? In diesen Kriechraum kann man, wie es der Name schon androht, im Notfall auch hineinkriechen. In San Francisco habe ich das später oft getan, wenn das Pilotlicht der Gasheizung ausgegangen war. Ich fürchtete diese Expeditionen nicht nur wegen der Spinnen, die zwischen den dünnen Holzbalken lebten. Die ganze Konstruktion schien mir gefährlich: Auf diesen Zahnstochern ruhte mein ganzes Haus? Jedes Mal zog ich mir die Kapuze fest über den Kopf und versuchte mir nicht vorzustellen, wie das Haus über mir zusammenkrachte. «Sie müssen entschuldigen», sagt Javier jetzt. «Aber da kriech ich nicht rein, ich bin einfach zu dick. Ich leuchte mit der Taschenlampe runter, wenn Ihnen das recht ist.» Natürlich ist mir das recht. So ein netter Mann. Ich will doch nicht, dass er in der Öffnung stecken bleibt! An dieser Stelle meiner Erzählung wird Katchie später aufjaulen. «Milena! Eine Inspektion, die den ‹crawl space› nicht kontrolliert, ist doch keine Inspektion! Warum hast du das bloß akzeptiert?»

Ja, warum? Vielleicht weil ich schon wusste, dass ich das Haus auf jeden Fall kaufen würde? George hat mich gewarnt: «Frederic hat überhaupt kein Geld.» Wenn die Inspektion also einen größeren Schaden ans Tageslicht bringen würde, hätte er keine Möglichkeit, ihn zu beheben. Oder den Preis zu senken. «Dafür könntest du in diesem Fall einfach von dem Kauf zurücktreten, ohne deine Anzahlung, dein ‹good faith money› zu verlieren.» Ich unterschreibe also ein weiteres Papier, ein Addendum: Ich kaufe das Haus «as is» – so, wie es ist.

Jetzt hat Katchie den Kopf in den Händen vergraben. «Der Typ war doch eindeutig verzweifelt», wird sie später sagen. «Natürlich wär der mit dem Preis noch weiter runtergegangen.» Das Haus ist seit sieben Monaten auf dem Markt, das wird mir erst jetzt klar. Katchie hat recht. Katchie wird auch später recht behalten. Aber in diesem Moment weiß ich das nicht, ich weiß nur, dass ich dieses Haus liebe. Dass es mein Zuhause ist. «As is».

Die Inspektion soll ungefähr zwei Stunden dauern, ich darf nicht dabei sein. Ich gehe also wieder ins Teahouse – noch lebe ich nicht hier, aber ein Stammcafé habe ich schon. Ich bestelle ein richtiges amerikanisches Frühstück mit Eiern und Schinken und bringe doch keinen Bissen hinunter. Als ich aus dem Café zurückkehre, sitzen die beiden Männer schon wieder zusammen. «Die Inspektion ist sehr gut verlaufen», sagt Javier. «Ich war selber überrascht, in welch gutem Zustand das Haus ist.» Die einzige Beanstandung ist das Badezimmerfenster, das nicht den Vorschriften entspricht und irgendwann ersetzt werden muss. Außerdem muss das Dach von trockenen Blättern gereinigt werden. Das ist alles. Ich bin erstaunt. Ich war sicher, das Dach sei das Problem. Nein, das Dach ist in Ordnung. «Das Haus ist über hundert Jahre alt und besser dran als manche neuen Gebäude», sagt Javier. Jetzt steht also dem Kauf nichts mehr im Weg.

Wieder diese seltsame Leere. Etwas so Wichtiges passiert, und ich kann es niemandem erzählen. Ich rufe meine Söhne an. Der ältere ist ein bisschen verkatert und reagiert verhalten. Später ruft er zurück. «Ich war einfach überrumpelt», sagt er. «Ich bin vor den Kopf gestoßen.» Ich verstehe: Eins nach dem anderen verschwinden die Orte seiner Kindheit. Der jüngere ist so höflich, dass es fast weh tut: «Wenn es das ist, was du willst, freue ich mich für dich.» Offenbar bin ich die Einzige, die spürt, was das bedeutet: Ich fange ein neues Leben an. Mein Leben. Jedenfalls ein anderes, die anderen spüren das auch und spüren, dass ich mich von ihnen entferne.

Eigentlich dachte ich, ich würde bis zu meinem Geburtstag hierbleiben, aber langsam geht mir das Geld aus. Noch mehr Nächte im Hotel, noch mehr Mahlzeiten im Restaurant liegen nicht drin. Ich fahre also zurück nach Kalifornien und bleibe ein paar Tage bei Lil. Jetzt endlich freut sich jemand.

«Warum brauchst du das?», fragt sie. «Sind deine Entscheidungen abhängig von der Reaktion der anderen?»

«Natürlich sind sie das!» Ich stocke. Ist das nicht normal? Ist das nicht für jeden so?

«Das ist eine vollkommen unrealistische Erwartung», sagt Lil. «Denk das mal durch!»

Ich versuche es: Natürlich wäre es schön, wenn meine Söhne sich für mich freuen könnten. Wenn meine Mutter sich für mich freuen könnte. Aber es ist nun mal nicht so. Wenn ich meine Entscheidung von ihrem Wohlwollen abhängig mache, kann ich mein Leben nicht leben. Erst jetzt wird mir bewusst, wie selten ich in den letzten fünfzig Jahren das Missfallen mir nahestehender Menschen riskiert habe. Und wie viel Kraft es mich jedes Mal gekostet hat, es ihnen recht zu machen.

Plötzlich erinnere ich mich an die Zeit, in der Cyril klein war. Mein jüngerer Sohn hat die ersten vier Jahre seines Lebens keine einzige Nacht durchgeschlafen. Wie oft bin ich nachts verzweifelt, zombiehaft aufgestanden. Nur noch einmal, dachte ich. Wenn ich nur noch dieses eine Mal zu ihm gehe, dann schläft er nachher vielleicht durch. Das hat natürlich nicht funktioniert, jeder Elternratgeber, jeder Hobbypsychologe kann das bestätigen. Ich habe sein Verhalten nur verstärkt. Trotzdem, wir haben es alle überlebt und schlafen heute bestens, vielen Dank.

Doch jetzt wird mir bewusst, wie sehr dieses «Nur einmal noch» auch mein Verhalten im Privatleben bestimmte: Nur einmal noch schlucke ich das hinunter, bleibe ich still, gebe ich nach, nur einmal noch richte ich mich nach dir – dann muss doch die Belohnung kommen! Dann richtest du dich mal nach mir! Dann sagst du mir, zeigst du mir, wie sehr du meine Aufopferung schätzt! Aber das kann nicht der Motor sein. Sich aufzuopfern, sich auf jemanden auszurichten muss eine freiwillige Entscheidung sein, ohne Anspruch auf Belohnung.

Zwischenhalt: Alice und David

«Santa Fe?», ruft Alice. «Du ziehst nach Santa Fe?» Alice war meine erste Yogalehrerin in San Francisco und eine meiner engsten Freundinnen dort. Die Nähe zwischen uns ist geblieben, auch wenn wir uns kaum je sehen und über die alltäglichen Geschehnisse in unseren Leben längst nicht mehr auf dem Laufenden sind. Es gibt diese Beziehungen, die weniger von äußeren Umständen abhängen. Wenn wir uns wiedersehen, knüpfen wir ohne Anstrengung da an, wo wir letztes Mal aufgehört haben. Doch jetzt versteht sie mich nicht. Sie macht ein Gesicht, als müsse sie das Lachen verbeißen, wenn sie «Santa Fe» sagt. «Wirst du nun klobigen Türkisschmuck tragen?», fragt sie mich. «Wirst du Sonnenuntergänge malen?» So hatten mich die Zürcher Freunde gefragt, ob ich nun weiße Socken tragen müsse, als ich in den Kanton Aargau zog. Auch in San Francisco teilt niemand meine Begeisterung für meine – zugegeben unerwartete – Entscheidung. Ich brauche eine Weile, um zu verstehen, dass meine Freunde gekränkt sind. Ich komme zurück, aber nicht zu ihnen. Genau wie die Schweizer Freunde empfinden, dass ich sie verlasse. Dass ich mich gegen sie entscheide. Gegen den Ort, an dem wir alle zusammen sein könnten. Das freiwillige Auswandern ist eine Entscheidung, die man ganz allein tragen muss. Man kann sie nicht auf die Firma abschieben, nicht auf den Mann. Man muss die Verantwortung dafür übernehmen, die Reaktionen einstecken.

Doch dann zeigt mir Alice einen Zeitungsausschnitt. «Warum hast du das nicht gleich gesagt? Jetzt ist mir alles klar!»

«Was? Zeig her!» Armistead Maupin ist nach Santa Fe gezogen! Als ob ich noch ein Zeichen gebraucht hätte. Der Autor der Kultserie *Stadtgeschichten* war der Grund, warum ich damals nach San Fransisco ziehen wollte. Ich hatte die sechs Bände im Wochenbett gelesen, einen nach dem anderen. Ursprünglich als Fortsetzungsroman in der Zeitung erschienen, hangeln sich diese Lebensgeschichten von Cliffhanger zu Cliffhanger. Sofort identifizierte ich mich mit Mary Ann Singleton, die in San Francisco ankommt und sofort weiß: Das ist meine Stadt. Hier gehöre ich hin. Ich weiß noch, wie ich dachte: Ich auch! Genau so geht es mir auch! Dabei war ich damals noch gar nie in San Francisco gewesen. Ich hielt ein vier Tage altes Baby im Arm, mein älterer Sohn war gerade in die erste Klasse gekommen. Nichts lag uns ferner, als in Ausland zu ziehen. Doch ein paar Jahre später, als ich tatsächlich in San Francisco lebte, schrieb ich Armistead Maupin, erzählte ihm die ganze Geschichte. Er hat nie geantwortet. Wahrscheinlich kriegt er täglich solche Briefe. Armistead Maupin ist ein lebendes Wahrzeichen von San Francisco. Er verkörpert den Geist dieser Stadt wie kein anderer.

Armistead Maupin hat San Francisco verlassen. Armistead Maupin lebt jetzt mit seinem Mann in Santa Fe.

«Wir wollten ja nur einen Garten für unseren Hund», lautet die offizielle Erklärung. «Jetzt haben wir sechzigtausend Quadratmeter Land.» Und dazu ein Haus, wie sie es sich in

San Francisco nicht mehr leisten könnten. «Schriftsteller sind notorisch unterbezahlt.»

«Na gut», sagt Alice. «Ich verstehe. Dann halt. Wenigstens ist es näher als die Schweiz.»

«Wie zum Teufel bist du denn überhaupt nach Santa Fe gekommen?», fragt David, ihr Mann. Er hat beide Arme voller Spielsachen, es ist Zeit, die beiden Töchter ins Bett zu bringen.

«Ursprünglich wollte ich ja nur ein paar glückliche Paare besuchen ...»

«Und da bist du nicht als Erstes zu uns gekommen?» David grinst in meine Richtung, aber seine Augen suchen Alice. Über meinen Kopf hinweg wechseln sie einen Blick. Einen Blick, den ich unterdessen kenne. Alle Paare, die ich unterwegs besucht habe, haben ihn. Ich kenne dich, sagt dieser Blick. Ich weiß, wer du bist, und ich bin froh, dass es dich gibt.

Ich erröte. Weiß er etwa, dass ich ihn jahrelang ablehnte? «Aber jetzt bin ich ja hier», sage ich zu ihm. Als er Alice vor ungefähr zwölf Jahren kennenlernte, hatte sie, eine Yogalehrerin Mitte dreißig, die Liebe bereits aufgegeben. Sie lebte asketisch und streng vegan, stand jeden Morgen um vier Uhr auf, um zu üben und zu meditieren. Dann kam David. Ein bisschen jünger als sie, Möbelbauer und Werklehrer, mit einem (wie ich fand) geckenhaft gezwirbelten Schnurrbart – heute würde man ihn einen Hipster nennen. Er ernährte sich fast ausschließlich von Fleisch, feierte gern bis tief in die Nacht und erschien zu Partys grundsätzlich nur verkleidet. Und mit verkleidet meine ich: rosa Tütü, falsches Beil im Schädel, Einsteinperücke. «Wir werden heiraten», sagte Alice nach dem ersten Date, das, weil sie kein für beide akzeptables Restaurant finden konnten, in ihrem Kleinlaster stattgefunden hatte. Dort saßen sie die ganze Nacht hindurch bis morgens früh um sieben, redeten und rauchten selbstgedrehte Zigaretten. «Er wird der Vater meiner Kinder.»

Das ging dann schneller als gedacht. Ich war dabei, als Alice ihren ersten Schwangerschaftstest machte. Ihre Schwangerschaften waren kompliziert und schwierig, ihre Geburten auch. Bei Lucy, der Älteren, war ich dabei. Vierundzwanzig Stunden verbrachte ich im Krankenhaus, meist im Wartezimmer, das wir uns mit einer mexikanischen Großfamilie teilten. Alle fünfundvierzig Minuten schalteten wir den Fernseher von einem englisch- auf einen spanischsprechenden Sender um. Alices Eltern waren aus Los Angeles gekommen. Die Mutter schlief irgendwann im Stuhl ein, ich unterhielt mich mit Alices Vater, dem sie sehr nahe stand – ein Vater, wie ich ihn mir auch gewünscht hätte. Ich weiß noch, wie wir damals schon über den Zustand meiner Ehe redeten, wie ich ihn um Rat fragte. «Mir scheint, dich treibt die Scham an», sagte er. «Du würdest dich so sehr schämen, wenn auch diese Ehe scheitert, dass du dich auf die absurdesten Abmachungen einlässt …» Ich war schockiert. So genau hatte ich es nun doch nicht wissen wollen. Doch bevor ich antworten konnte, kam David und holte mich in das Gebärzimmer zurück. Ich weiß noch, wie er sich auf das Klappbett legte und einschlief, während Alice schrie und schrie und schrie. Und wie ich dabei langsam kalt bekam.

Das kommt nicht gut, dachte ich. David, so schien mir damals, unterstützte sie viel zu wenig. Er war zu sehr mit sich selbst beschäftigt. Mit dem Ende seiner Jugend. Es dauerte eine Weile, bis er seine Band aufgab, die Partys, die Verkleidungen. «Er ist ein typischer Man-Boy», sagte ich zu Alice. Sie hob die Augenbrauen. «Du musst es ja wissen.»

Ich mochte David nicht, Alice mochte meinen damaligen Mann nicht: Nicht gut genug für dich, dachten wir beide.

Sagten es manchmal auch. Ich habe meine Meinung geändert. Alice und David haben nicht viel Geld und kaum Zeit füreinander, er arbeitet tagsüber, sie vor allem abends und am Wochenende. Sie verständigen sich ohne große Worte. Sie versuchen, einander das Leben zu erleichtern. Morgens stehen sie beide eine Stunde früher auf, trinken zusammen Kaffee. «Es ist der beste Moment des Tages», sagt er.

«Ich freue mich schon im Schlaf darauf», sagt sie.

Und jetzt bin ich also hier, bei Alice und David in Oakland, zwanzig Minuten vor San Francisco lege ich einen Zwischenstopp ein. Ich schlafe auf der Couch, das Haus ist sehr klein, alle Möbel hat David selbst gezimmert. In seiner Werkstatt haben auch die Mädchen ihre Arbeitsplätze. Während Lucy Mäuseschädel einlegt, verziert Misha ihr kleines Pult mit Unmengen von Glitter. Im verwilderten Garten lebt eine dreibeinige Schildkröte. David kommt aus dem Kinderzimmer, öffnet eine Flasche Wein, wir setzen uns vors Haus.

«Was du bei diesen Paaren unterwegs gesehen hast, das ist Freundschaft», fasst meine kluge Freundin zusammen. «Es geht um Freundschaft.»

Freundschaft? Wie jetzt – nicht um Liebe? Meine innere Romantikerin steht von ihrem Krankenlager auf, streift ihr weißes Spitzenkleid ab. Darunter trägt sie Jeans. Sie lächelt mich mit einer Freundlichkeit an, die ich nicht verdient habe.

«Schluss jetzt mit der Selbstzerfleischung», sagt sie. «Freundschaft fängt bei dir selber an.» Scherzhaft wackelt sie mit dem Finger. So übermütig kenn ich sie gar nicht! Jetzt lacht sie sogar. Als ich abends beim Zähneputzen in den Spiegel schaue, denke ich: Ich kenne diesen Blick. Schön, dich zu sehen. Schön, dass es dich gibt!

In San Francisco habe ich für zwei Wochen eine Wohnung gemietet. Eine große, üppig dekorierte Wohnung mit einer Terrasse, mitten im Castro District. Die Wohnung bietet genug Platz für eine Party, wenn ich denn eine feiern will. Und für meine Söhne, wenn sie hier übernachten wollen. Beide sind gekommen. Beide sind hier.

Das habe ich nicht erwartet. Lino wusste bis zum Schluss nicht, ob er es schaffen würde. Für Cyril hingegen ist es der letzte Sommer, in dem er seine Freunde in San Francisco besuchen kann, bevor sie sich über das ganze Land verteilen werden, auf ihre diversen Colleges. All meine Freundinnen sind auf einen Schlag kinderlos. Es herrscht eine seltsame Übergangsstimmung, zwischen Euphorie und Panik. «Die Übergänge sind am schlimmsten», fällt mir plötzlich ein. Ich glaube, Linos erste Spielgruppenleiterin hat das zu mir gesagt, vor all den Jahren, und um mich zu trösten, wenn ich mein weinendes Kind zurücklassen musste. Der später beim Abholen gar nicht mehr gehen wollte. Ich verstand: Zu Hause ist gut, in der Spielgruppe ist gut. Nur der Übergang, der ist nicht gut.

Auch meine Freundin und Bühnenpartnerin Sibylle ist aus der Schweiz angereist. Sie wird für eine Woche hierbleiben, bevor sie nach Louisiana weiterzieht, zu Susanne und Doug, die sie viel besser kennt als ich. Eine Woche vor meinem Geburtstag weiß ich immer noch nicht, wie ich ihn feiern will. In den letzten zehn Jahren hat der Anlass an Bedeutung verloren. Aber als jüngere Frau legte ich allergrößten Wert darauf, ihn gebührend zu feiern. Vielleicht, weil er in die Sommerferien fällt und ich deshalb als Kind keine Party feiern konnte? Doch mein Vierzigster, den meine Freundin Pie für mich ausgerichtet hat, mit einem Wüstenzelt mitten in ihrem Garten, mit goldverzierten Zeltmasten, ägyptischen Tüchern, den Rasen mit Orientteppichen belegt, mit einem unglaublichen Buffet, mit Musik und allen Leuten, die ich in der Schweiz noch kannte … dieses Fest hat meine Geburtstagswünsche für immer gestillt. Seither feiere ich nachlässig. Der fünfundvierzigste war auch schön, erinnere ich mich jetzt. Ich war allein in unserem Traumhaus und habe, wie ich es am liebsten mache, einfach alle eingeladen, die ich kenne, Freunde und Familie, die Nachbarn aus dem Dorf und die Freunde aus Zürich. Die unterschiedlichsten Menschen, die sonst nie zusammensitzen würden, merken plötzlich, dass sie viel mehr gemeinsam haben als nur das, mich zu kennen. Ich weiß noch, dass Katchie, die zufällig in der Schweiz war, mir den ganzen Morgen half, Schinkengipfeli zu backen (ich hatte gerade einen Gipfeler geschenkt bekommen und wollte nie mehr etwas anderes essen.) Mein früherer Schwiegervater bediente die Bar, meine Nachbarn freundeten sich mit meinem Redaktor an, und am Ende wühlten sich alle noch anwesenden und halbwegs nüchternen Frauen durch meinen Schuhschrank: Ich hatte mir den Knöchel gebrochen und glaubte, nie mehr Absätze tragen zu können. Die einfachsten Feste sind oft die schönsten. Doch das scheint an einem Fünfzigsten schwierig.

Wie viele fünfzigste Geburtstage habe ich in den letzten Jahren miterlebt? Meist bekam ich es nach einer Stunde mit der Angst zu tun und verabschiedete mich. Ein fünfzigster Geburtstag scheint immer etwas beweisen zu müssen: Schaut, was ich erreicht habe! Schaut, wie gut es mir geht! Schaut, wie toll ich aussehe!

«Für das Geld hätte ich mir einen Kleinwagen kaufen können», fasste ein Freund seine eigene Party zusammen, die ich verpasst hatte.

Was habe ich vorzuweisen? Zu diesem Zeitpunkt gar nichts. Nur, dass ich weiß, wer mir wichtig ist: meine Söhne, meine Freunde. Es sind nicht mehr so viele wie noch vor ein paar Jahren.

Am Ende ist alles ganz einfach: Ich lade alle Leute ein, die ich hier noch kenne. Bestelle Thai-Food in einem Restaurant und lasse mir die Nägel dunkelblau lackieren. Passend zu einem Kleid, das ich in der Schweiz gekauft habe, weil mich die Farben an den Himmel und die Erde in Santa Fe erinnerten, es ist orange und blau gemustert, vage indianisch inspiriert. Genau genommen erinnerte es mich an den Flughafen von Albuquerque.

Sibylle packt ihr Geschenk aus: ein wunderschöner handgestickter Wandbehang, an dem sie monatelang gearbeitet hat. Reich verziert mit Vögeln und Blumenranken und in schönster Schreibschrift die Worte darauf: «Die chönd mer all am Bürzi chnüüble!» Es ist ein Ausdruck, den Sibylle oft braucht, und jedes Mal muss ich laut lachen. Das Bürzi ist ein Dutt, und chnüüble heißt kneifen. Also ihre Besserwisserei dort an mir auslassen, wo es nicht weh tut, wo ich es nicht mal sehe. Das soll mein Mantra für mein nächstes Lebensjahr werden, beschließe ich.

Ich lege den «Bürzi», wie ich ihn von nun an verkürzt nenne, auf mein Bett. In San Francisco, in Santa Fe, in Aarau. Und weil der Bürzi flach liegen muss, um richtig zur Geltung zu kommen, zwingt er mich, jeden Tag mein Bett zu machen. Und das, stelle ich fest, ist ein ganz einfaches Mittel gegen morgendliche Unlust und Melancholie.

Um fünf trudeln die ersten Gäste schon ein. Mein früherer Nachbar Jack ist da. Er packt seine Kamera aus, er wird Bilder machen. Außerdem hat er frühe Kartoffeln aus seinem Garten mit Olivenöl und Gewürzen gegrillt. Als ich noch in San

Francisco lebte, versorgte er mich beinahe täglich mit frischem Salat, Radieschen, Bohnen und Kartoffeln. Dafür fuhr ich ihn zum Arzt, zur Apotheke und zum Einkaufen. Fast jeden Tag schaute er auf dem Weg zum Quartierladen kurz bei mir vorbei. Mit den Worten «Ich will dich nicht stören, ich weiß, du bist am Schreiben» leitete Jack immer ein mindestens zwanzigminütiges Gespräch ein. «Nein, nein, ich komme nicht herein!» So stand er auf seinen Stock gestützt an meiner Tür und erklärte mir die Welt. Meine einzige Rettung war, dass der Quartierladen den Seniorenrabatt von zehn Prozent nur bis fünfzehn Uhr gewährte. «Jack, es ist zehn vor drei», sagte ich dann und schloss die Tür vor seiner Nase.

Der ehemalige Ingenieur hat einen Limerick auf mich gedichtet und ihn in druckreifen Großbuchstaben von Hand auf eine Rolle Packpapier gemalt. «Dass die jungen Leute heutzutage keine anständige Handschrift mehr lernen!» ist eine seiner Lieblingsklagen. Er schnappt sich Lino, der Architektur studiert, und erklärt ihm, wie wichtig es gerade für Architekten ist, die Arbeit eines Ingenieurs zu kennen. Ihr zu vertrauen. Lino hört eine Zeitlang höflich zu, bevor er sich unter einem Vorwand entfernt – er hat diesen Vortrag schon oft gehört. Plötzlich habe auch ich ein Déjà-vu: Haben wir diese Party nicht schon einmal gefeiert?

Da sind Deb und Scott, deren Sohn Terry mit Lino zur Schule ging. Eine Zeitlang verbrachte Lino so viele Wochenenden bei ihnen, dass er im Adressbuch ihrer Kirche als ihr Sohn aufgeführt war. Wir haben uns seit Jahren nicht gesehen. Als Erstes fällt mir auf, dass Deb stark abgenommen hat. «Super siehst du aus», rufe ich aus, als wüsste ich nicht, dass Gewichtsverlust nicht immer freiwillig oder ein gutes Zeichen ist. Deb ist Wirtschaftsanwältin. Ihr Mann Scott, ein Programmierer, ist seit Jahren arbeitslos. Er hat ein Buch geschrieben, das auf mehreren tausend Seiten «erklärt, wie das Universum funktioniert». Ich habe versucht, es zu lesen, aber nach hundert Seiten aufgegeben. Das Universum ist zu hoch für mich, Scotts Gedankengänge sind mir fremd. Deb bleibt unerschütterlich an seiner Seite: «Ist es nicht wunderbar? Ich bin so stolz auf ihn.»

Jetzt hat auch sie ihre Stelle verloren. Mit bald sechzig sind ihre Aussichten schlecht. Während ihres jahrelangen Jonglierens mit diversen Krediten und Kreditkarten fielen immer mehr davon auf den Boden. Wer keine Arbeit hat, hat auch keine Krankenversicherung. Das heißt, er wird nicht krank. Ob Scott sich in der Realität noch zurechtfindet, ob Debs Finger sich arthritisch krümmen: Es ist ihr Problem, ihres allein. Die tolle Wohnung in der Innenstadt haben sie aufgegeben, sie leben in einem möblierten Zimmer, das sie bar bezahlen. Eine Woche im Voraus, manchmal nur eine Nacht. «Residential Hotels» nennt man diese Herbergen in San Francisco, sie werden vor allem von Obdachlosen genutzt. Wer kann, schläft lieber im eigenen Auto, das man nur im Notfall verkauft. Zum Essen reicht das Geld nicht jeden Tag.

«Es ist eine spirituelle Erfahrung!», beschreibt Scott das unfreiwillige Fasten. Deb senkt den Blick. Als unsere Söhne vor zehn Jahren zusammen zur Schule gingen, nahmen mich die beiden unter ihre Fittiche. Sie verdienten viel Geld und gaben auch viel aus. Schon einmal waren beide gleichzeitig arbeitslos gewesen, da nahmen sie einen weiteren Kredit auf und schickten ihren Sohn auf eine teure Privatschule. Ob das gutgeht?, dachte ich damals. Aber was verstehe ich schon von Geld?

Dann zog ich in die Schweiz. Mein Sohn studiert dort gratis, Debs Sohn muss arbeiten und seine Eltern unterstützen.

Ich bin froh, in der Schweiz zu leben, denke ich. In der Schweiz kann man nicht derart durch die Maschen fallen.

Auch einer anderen Freundin geht es schlecht. Sie ist mit einem Alkoholiker zusammen, dem das Haus gehört, in dem sie beide leben. Sie verdient zu wenig, um sich von ihm zu trennen. San Francisco kann sie sich eigentlich nicht leisten, aber sie ist hier aufgewachsen, sie kann sich nicht vorstellen, irgendwo anders zu leben. Sie bleibt lange, wir reden, einmal weint sie. «Ich weiß nicht, wie das passiert ist», sagt sie. «Ist das mein Leben?» Ich weiß, wie sie sich fühlt.

Die Stadt frisst ihre Kinder, denke ich.

Armistead Maupin hat sich in einem Interview gegen diese «Früher war alles besser»-Haltung gewehrt, die ihn schon bei seinem Idol, dem legendären Kolumnisten Herb Caen, gestört hat. Caen, der eine ähnlich unverbrüchliche Liebe zu dieser Stadt hegte wie später Maupin, der ihr in ganz anderen Worten zwar, aber ebenso bleibend ein Denkmal schuf, lamentierte in den siebziger Jahren, es sei alles nicht mehr wie früher, oh, die vierziger Jahre! Da sei San Francisco noch wirklich San Francisco gewesen! Heute kämpft Maupin auf seine Art gegen dieselbe Versuchung an – die siebziger Jahre, seine Zeit, zu verklären, weil da San Francisco noch wirklich San Francisco war. «Ich habe dieselbe Reaktion wie alle anderen, wenn ich die Türme in der Innenstadt sehe mit ihren unbezahlbaren Eigentumswohnungen und die verhassten Google-Busse, die überall die Straßen versperren. Aber San Francisco wird immer San Francisco bleiben.»

Die Internet- und Computerfirmen in Silicon Valley schicken weiße Busse mit verspiegelten Scheiben, ein unheimlicher Look, durch die Stadt, um ihre Mitarbeiter einzusammeln und auf die Halbinsel zu chauffieren. Morgens sind viele Cafés an bestimmten Straßenecken überfüllt mit ungeschickten, unfreundlichen jungen Menschen, die lautstark in ihre unsichtbaren Telefone bellen und im selben Ton Kaffee zum Mitnehmen bestellen. Sie werfen Geldscheine auf die Theke, ohne sie zu zählen und ohne den Blick zu heben. Sie sind jung, sie sind wichtig, sie beherrschen die Stadt. Dann fährt der Bus vor, lautlos, das Café leert sich auf einen Schlag, die Heuschreckenplage hat sich verzogen. Bis zum frühen Abend, wenn der Bus wieder hält und sie ausspuckt. Wer nicht zu ihnen gehört, wird zur Seite gedrängt.

Doch ich erinnere mich, dass ich mich Ende der 90er Jahre schon genauso gefühlt habe: Damals versuchte ich, ein Haus zu kaufen, und wurde von Jungs in Khakihosen und Turnschuhen ausgebootet, die ohne mit der Wimper zu zucken das Doppelte des geforderten Preises hinlegten und noch ein paar Aktien ihrer Start-ups obendrauf warfen. Plötzlich waren die Menüs in den schicksten Restaurants der Stadt auf Jugendliche ausgerichtet, frittierte Käsebrote, Bier aus der Kanne. Damals fühlte ich mich schon aus der Stadt vertrieben. Und erst recht, als der Bürgermeister, der flamboyante und korrupte Willie Brown, in einem Interview sagte, wer weniger als sechzigtausend Dollar im Jahr verdiene, habe in seiner Stadt nichts verloren. Dieser Betrag müsste heute verdreifacht werden, schätze ich.

«Die Stadt verändert sich ständig, das war doch immer schon so», sagt meine Freundin Theresa, die hier aufgewachsen ist. «Seit ich denken kann, sagen die Leute: ‹Es ist nicht mehr wie früher. Das ist nicht mehr unser San Francisco!›» Sie zuckt mit den Schultern. «Darwin sagte es doch schon: Es sind nicht die Stärksten, die überleben, sondern die, die sich am besten an Veränderungen anpassen können.»

«Na, du hast leicht reden», wirft eine andere Freundin ein. «Dein Haus ist abbezahlt. Dir kann nichts passieren!»

Lino hat seinen Mitbewohner aus Zürich mitgebracht, Aurel, den er seit der Primarschule kennt. Bis heute schockiert es mich, die Schuhe der beiden vor ihrer Wohnungstür stehen zu sehen, die die Ausmaße von mittleren Ruderbooten haben. Ich habe immer noch ihre ersten Schuhe «für Große» vor Augen, Schuhe zum Schnüren. Aurel ist zum ersten Mal in Kalifornien, aber er fühlt sich so wohl hier, dass alle meinen, er hätte schon immer hier gelebt. Er passt perfekt in diese Stadt, die doch – wir müssen uns nur daran erinnern – alle mit offenen Armen empfängt. Seine Begeisterung steckt uns neu an.

Lino packt sein Geschenk aus. «Für dein neues Haus!» Es ist eine Weltkarte, auf die er ein Bild von sich und seinem Bruder geklebt hat, das ich am Vorabend meiner Abreise aufgenommen habe. «Wo immer wir sind, was immer wir tun, wir sind eine Familie», steht darauf.

«Das musst du natürlich noch rahmen lassen», sagt er und rollt es schnell wieder zusammen. Zu spät – ich heule schon.

Später singen wir auf der Terrasse. Es ist der einzige schöne Abend in dieser ganzen Woche. Kein Nebel, beinahe sommerliche Temperaturen. Der Steiner, unser erster Freund in San Francisco und der wichtigste, außerdem langjähriger Lehrer beider Kinder, stimmt «Happy Birthday» an. Seine Stimme füllt die kühle Abendluft, sie reißt uns alle mit, auch die, die gar nicht singen wollen. Hunderte von Erinnerungen überfallen mich gleichzeitig: Es ist fast wie früher. Wie viele Feste haben wir so gefeiert, auf seiner, auf unserer Terrasse? Wie oft haben wir uns so mitreißen lassen von seiner Stimme, «Happy Birthday» gesungen und «Oh, Tannenbaum» und alles dazwischen? Und jetzt wird mir klar, was es ist. Warum ich so stark fühle, dass das nicht mehr meine Stadt ist. Es sind nicht die Google-Busse, nicht die überteuerten Preise, nicht die Tatsache, dass so viele meiner Freunde weggezogen sind. San Francisco war die Stadt, in der ich mit meinem Exmann lebte, in der wir als Familie ein neues Leben aufbauten. Jede Straßenecke, jedes Lokal, jede Parkbank ist voller Erinnerungen.

Mein fünfzigster Geburtstag endet damit, dass der Vermieter anruft. «Hör mal, es tut mir leid, ich weiß, du hast Geburtstag, aber … die Nachbarn haben schon viermal angerufen. Sie schimpfen und wollen die Polizei rufen.»

Es ist Samstagabend, kurz nach zehn, mitten im wilden Castro District im Herzen der schwulen Partyszene in der Weltstadt San Francisco. Wir haben weder getanzt noch Musik gemacht. Nur ein bisschen gesungen. In Aarau, im Herzen der Schweizer Provinz, ist mir so etwas noch nie passiert. Ich muss lachen. Es tut immer gut, seine eigenen Gewissheiten und Vorurteile über den Haufen zu werfen.

Die Gäste gehen, ich lege mich ins Bett und decke mich mit dem Bürzi zu. Ich bin fünfzig Jahre alt. Ich habe ein Haus gekauft in Santa Fe. Wider alle Vernunft und alle guten Vorsätze. Aber es fühlt sich so richtig an wie schon lange nichts mehr. Selbst wenn das außer mir niemandem einleuchtet: Die anderen können mich mal am *Bürzi chnüüble*!

Zu Hause, am Ziel

Kurz nach meinem Geburtstag gebe ich die Mietwohnung und das Mietauto auf. Ich habe noch knapp zwei Wochen, dann ist meine Auszeit zu Ende. Diesmal fliege ich nach Santa Fe. Ich will keinen Tag verlieren. Cyril kommt mit, gutmütig lässt er seine Freunde zurück, nur für ein paar Tage. «Es ist mir wichtig, dass du das siehst», sage ich, und er gibt nach. Im

Flughafen von Albuquerque hat er dieselbe Reaktion wie ich: «Hier sieht es gar nicht aus wie in Amerika», sagt er.

Cyril hat die prägenden Jahre seiner Kindheit in Amerika verbracht. Das heißt, seine Kindheit unterscheidet sich auf unzählige Arten von der seines Bruders, aller Globalisierung zum Trotz. Angefangen von den Kinderbüchern, *Green Eggs and Ham* statt *De Joggeli gaat go Birrli schüttle.* Und vor allem: Cyril hatte eine indianerfreie Kindheit. Lino hingegen durchlebte nach der Dinosaurier- und der Walphase eine Zeit, in der er sich intensiv mit Indianern befasste. Er verschlang alles darüber – außer Federica de Cesco natürlich, «das ist für Mädchen» –, er zog quasi im Indianermuseum in Zürich ein, er investierte sein Taschengeld in Lederreste und Perlen und nähte sich selber Mokassins. Einmal wurde ich in die Schule zitiert, weil er in einem Aufsatz mit dem schönen Thema «Dinge, die ich brauche, um glücklich zu sein» nicht wie alle anderen geschrieben hatte: «Meine Mama und meinen Papa, meine Freunde, Gott», sondern: «Eine Zeitmaschine, ein paar Freunde, Gewehre und schnelle Pferde.» Immerhin waren die Freunde auf der Liste, dachte ich. Nach der üblichen Einleitung – «Sie sind ja berufstätig, Frau Moser, Sie schreiben ja diese … hmmm … Mordgeschichten … Wie viel Zeit verbringt Ihr Sohn denn allein vor dem Fernseher?» – durfte mein Sohn selber erklären, was er im Sinn hatte: die Rettung der Indianer vor der Landung von Kolumbus.

In einer amerikanischen Kindheit hat das alles keinen Platz. Die Indianer werden verschwiegen. Nur im Schultheater tauchen sie auf, wenn die Kinder kurz vor Thanksgiving die Szene nachspielen, in der die Indianer die ersten Siedler vor dem Verhungern retten. Maiskolben werden verteilt, ein Truthahn aus Papiermaché herumgereicht. Der Teil mit den bazillenverseuchten Wolldecken wird ausgespart.

Trotzdem reagiert auch Cyril auf die Bemalungen im Flughafengebäude und auf dem Heimweg an den Autobahnüberführungen. Stilisierte Hasen, Raben und Koyoten unterbrechen die Ornamente. «Das sind Totemtiere», versuche ich zu erklären, aber ich weiß selber noch zu wenig darüber. Ich höre mich schwafeln: «Oh, schau doch, der Himmel! Ist das nicht schön! Siehst du das? Schau, die Berge, das Licht!» Erst nach einer Weile merke ich, dass Cyril die Kopfhörer aufgesetzt hat.

Die erste Nacht bleiben wir noch im Hotel. Diesmal im *Saint Francis*, einem ungebauten Kloster mit erfrischend karg eingerichteten Zimmern und humanen Preisen. Abends essen wir in der Bar einen Green Chile Cheeseburger, eine Mischung aus amerikanischen und mexikanischen Einflüssen und eine lokale Spezialität. Cyril findet ihn zu scharf. Ich merke, wie angespannt ich ihn beobachte, wie wichtig es mir ist, dass es ihm hier gefällt. Ich muss mich regelrecht zwingen, mich zu entspannen. Er muss meine Begeisterung nicht teilen. Es reicht, dass er hier ist. Draußen ziehen Touristenströme vorbei, auf dem Weg zur Plaza, wo wieder Musik spielt. Einige Fetzen dringen bis zu uns durch. Zu Fuß wären wir in zehn Minuten im Haus, aber während der dreißig Tage dauernden Verkaufsphase durfte ich es nicht betreten. Ist es wirklich erst einen Monat her, dass ich in Georges Büro saß und mein Angebot unterschrieb? In diesen Tagen habe ich immer wieder die Fotos von meinem letzten Besuch angeschaut. Als müsste ich mich wieder und wieder vergewissern, dass das Haus existiert. Und dass es meins ist.

Am nächsten Morgen werde ich in Georges Büro erwartet, damit der Grundbucheintrag auf mich überschrieben werden kann. Cyril wollte eigentlich mitkommen, aber als der Wecker klingelt, kriege ich ihn nicht wach. Es macht nichts, denn wieder ist die Prozedur enttäuschend unfeierlich und schnell vorüber. Ein paar Unterschriften, ein bisschen Smalltalk, ein Glas Wasser. Sobald das Geld offiziell vom Konto des Notars auf das von Frederic verschoben wurde, bekomme ich den Schlüssel. Das sollte nicht länger als zwei Stunden dauern. Ich gehe zurück ins Hotel, wecke Cyril. Wir frühstücken, ich schaue immer wieder auf mein Handy. Gestern habe ich wie jeden Tag noch drei Nachrichten von Frederic bekommen. Heute – nichts. Es fühlt sich seltsam an. Ich habe mich an seine ständige virtuelle Anwesenheit gewöhnt. George schreibt: «Alles klar, der Schlüssel liegt im Briefkasten.» Wir checken aus, tragen unser Koffer zum Auto und fahren die kurze Strecke zum Haus hinauf. Der Briefkasten ist unverschlossen. Auf dem Schlüsselanhänger steht: «I got ruined in New Mexico!»

Haha!, denke ich und schreibe an Frederic: «Guter Witz!» Keine Antwort. Im Kühlschrank steht eine Flasche Champagner. Frederic hat mir außer den Möbeln auch Bilder und ein paar Bücher überlassen. *Gärten in New Mexico*, *Der Santa-Fe-Style*. Auf dem Schreibtisch liegen ein leeres Notizbuch und ein Filzstift für mich bereit. Das rührt mich schon wieder. Wie aufmerksam, denke ich. «Was für ein schöner Empfang», schreibe ich. «Danke!» Keine Antwort.

Cyril fläzt sich auf dem Fenstersitz, steckt seinen Computer ein. Im Haus gibt es kein Internet und keinen Fernseher. Draußen ist es heiß. Auf dem Bett liegt keine Matratze mehr. Das hätte ich mir eigentlich denken können. «Komm», sage ich zu Cyril. «Wir müssen einkaufen!» Widerwillig reißt er sich los. Wir brauchen außerdem Lebensmittel, Bettwäsche, Besteck und Geschirr. Ich verspreche einen Sandwichtoaster, einen kleinen Ofen, um Pizza aufzubacken. Ich weiß, dass das nicht die Ferien sind, die ein Teenager sich wünscht. Mit der Mutter im Auto sitzen, endlos Einkaufszentren abklappern. Im Gegensatz zur putzigen Innenstadt sind die Außenquartiere trostlos. Vierspurige Straßen zerteilen die endlose Weite, gesäumt von Groß- und Baumärkten, alles in adobefarbenem Hellbraun. Manche sind sogar mit falschen Holzbalken abgestützt, die die traditionellen «Zaguans» imitieren sollen. Selbst die Drive-through-Bankomaten sind der Pueblo-Architektur nachempfunden. Die Wirkung ist im besten Fall irritierend.

In den Läden dominiert der Santa-Fe-Style: Bunt, rustikal, mit mexikanischen Einflüssen. Gemusterte Wolldecken, bunte Metallornamente, perlengeschmückte Lampenschirme, bestickte Kissen, Kuhschädel, oft noch bemalt oder mit Türkisen beklebt. Plötzlich finde ich gar nicht mehr, mein Haus sei perfekt einerichtet und es müsse nichts geändert werden. Im Gegenteil, all das Beige, Braune, Olivgrüne muss raus, muss durch leuchtende Farben ersetzt werden, durch wilde Muster! Ich kaufe bunte mexikanische Wolldecken für das Sofa, wild gemusterte Kissen. Aber ich lasse Cyril das Geschirr aussuchen, er entscheidet sich für das einfachste, in Weiß. Später werde ich jedes Mal, wenn ich es aus dem Schrank hole, eine gewisse Erleichterung empfinden. Es ist eine Oase der Ruhe in dem Farbenrausch, den ich entfacht habe.

Ich kaufe alle Lebensmittel, die er mag. Kindheitserinnerungen: Apple-Jack-Frühstücksflocken und Pizza Pouches, tiefgefrorene Pizzatäschchen. Ich erinnere mich, wie er in San Francisco einmal in meine Kochtöpfe schaute, unschuldig fragte, was ich koche – und dann verschwand. Ich merkte nicht einmal, dass er das Haus verlassen hatte, bis er zehn Minuten später wieder vor mir stand und mit Unschuldsmiene eine Packung Pizza Pouches hinter seinem Rücken hervorzog: «Schau mal! Ich hab mein eigenes Abendessen gekauft!

Von meinem Taschengeld! Damit du nicht so viel Mühe hast mit dem Kochen!»

In San Francisco hatten wir auch ein Baumhaus, eigentlich nur eine hölzerne Plattform auf den dicksten Ästen eines alten Zwetschgenbaums. Manchmal aßen wir dort oben. Lange her. Cyril ist kein Kind mehr. Aber die Pizza Pouches mag er immer noch. Im letzten Moment fällt mir der Ofen ein. Ich kaufe einen elektrischen und stelle ihn auf den Kochherd.

Die Matratze muss ich bestellen, sie wird erst in einer Woche geliefert. So schlafen wir beide im Wohnzimmer, ich auf dem Sofa, er auf der Fensterbank. Es ist gemütlich. Eine Weile glühen noch die Bildschirme unserer Computer. Kurz vor Mitternacht kann ich es nicht lassen und aktiviere die Roamingfunktion auf meinem Handy. Und tatsächlich, da ist endlich eine Mail von Frederic. Allerdings ist sie nicht an mich persönlich gerichtet – ich bin wohl aus Versehen auf dem Verteiler gelandet. Es ist eins seiner Handyfilmchen, das ihn ziemlich angetrunken im besten Restaurant der Stadt zeigt: «Wisst ihr es schon?», grölt er. «Seit heute bin ich schuldenfrei! Schul-den-frei! Proooost!» Schockiert klappe ich das Handy zu. Das soll vorläufig das Letzte sein, was ich von ihm höre.

Unterdessen ist mir auch klargeworden, dass er einigermaßen verzweifelt war und das Geld dringend brauchte. Trotzdem dachte ich, es verbinde uns etwas über den Hauskauf hinaus. Schließlich ist er die ganze Zeit mit mir in Kontakt geblieben. Hat mir zahllose Filmchen geschickt, sich manchmal mehrmals pro Tag gemeldet. Hat mir das Layout für ein Internetmagazin gezeigt, das er gründen will und in dem er mir eine Kolumne anbietet: «Deine erste Kolumne auf Englisch! Oder kannst du Spanisch?» Er hat mich eingeladen, ihn bei seiner Arbeit zu besuchen, bei seinem Lieblingsprojekt: Resilienztraining für gefährdete Jugendliche in Española. Ich hatte Frederic vom Projekt «Schulhausroman» erzählt, das Schriftsteller in Schulklassen schickt. «So etwas könntest du hier auch aufziehen», sagte er. «Ich kann dir dabei helfen, ich habe die nötigen Kontakte.» Er wollte mir die Pueblos zeigen, er wollte mit mir Zug fahren. Er war, so glaubte ich, mein erster neuer Freund in Santa Fe. Der erste, den ich unabhängig von Katchie und Joshua kennengelernt hatte. Doch in dem Augenblick, in dem das Geld auf seinem Konto verbucht ist, verschwindet er komplett aus meinem Leben. Von einem Tag auf den anderen höre ich nichts mehr von ihm.

Das überrascht mich – aber es macht mich nicht wütend. Warum bin ich nicht empört? Meine Freundinnen sind es: «Der hat dich doch benutzt! Der hat nur mit dir geflirtet, damit du ihm sein Haus abkaufst!» Stimmt. Aber wenn er nicht mit mir geflirtet hätte, hätte ich ihn nicht gegoogelt. Wenn ich ihn nicht gegoogelt hätte, hätte ich keinen Anstoß gehabt, meinen Bruder anzupumpen. Wenn mir mein Bruder das Geld nicht gegeben hätte, hätte ich das Haus nicht kaufen können. Wenn ich das Haus nicht gekauft hätte, wäre ich jetzt nicht hier. Und auch wenn ich sonst nichts weiß, das weiß ich: Hier bin ich richtig. Hier bin ich zu Hause. Und wenn es nur das Haus ist – nicht die Straße, nicht die Stadt, nicht der Staat, nicht der Kontinent –, ist es genug. Das Haus und der Himmel darüber.

Jeden Morgen pilgern wir mit unseren Laptops ins Teahouse, um das Internet zu nutzen. Dann lässt Cyril sein iPhone fallen. Seine letzte Verbindung zur Außenwelt ist dahin. Die nächsten Tage verbringen wir damit, die Außenquartiere und Einkaufszentren nach einer Reparaturmöglichkeit abzuklappern. Ohne Erfolg. In einem Café schreibt mir jemand eine Nummer auf: «Jack ist meines Wissens der einzige hier, der sich mit Apple auskennt.» – «Hier? Ist ein Drittweltland», höre ich immer wieder. Tatsächlich soll es immer noch Amerikaner geben, die glauben, New Mexico befinde sich südlich der Grenze. «Brauchst du da nicht ein Visum?», fragen sie. Auch das ist eine Frage, die Zürcher gern in Bezug auf den Kanton Aargau stellen. Aber die Amerikaner meinen sie ernst. New Mexico war so lange abgeschnitten vom Rest der Vereinigten Staaten, dass es bis heute nicht wirklich aufgeholt hat. Das Tempo ist immer noch ein anderes.

Fast seit der Besiedlung durch die Weißen liegen zwei Bewegungen im Widerstreit. Die einen wollen New Mexico modernisieren, die anderen wollen es konservieren. Gerade dieses Gefühl, in der Geschichte steckengeblieben zu sein, ist Teil der Anziehungskraft. Wenigstens für die, die sich hierher zurückziehen wollen. Für die Künstler, die Schriftsteller. Für die, die hier aufwachsen, arbeiten, Kinder aufziehen, ist es frustrierend.

Der Boom hat Santa Fe erst in den achtziger Jahren ergriffen. Verursacht hat ihn 1981 ein hanebüchener Lifestyle-Artikel in der Zeitschrift *Esquire*, der die damals noch recht verschlafene, verträumte und abgeschiedene Künstleroase zum «right place», zum angesagten Ort, erklärte. Zum Mekka einer neuen Bevölkerungsgruppe, die man Yuppies nannte: Young urban professionals. Sie trugen protzige Uhren und Gelfrisuren, sie machten und verloren an der Börse im Verlauf eines Morgens mehr Geld als ihre Eltern in ihrem ganzen Leben, sie ernährten sich von Koks und Cappuccinos und passten in die rauhe, romantische Landschaft von New Mexico wie die Faust aufs Auge. Sie kamen in Horden und kauften ganze Landstriche auf, ließen Villensiedlungen auf die Hügel stellen. Dabei mussten sie sich zwar an die Vorschriften des Heimatschutzes halten, der seit 1957 vorschrieb, dass alle neuen Bauten traditionell aussehen mussten. Doch der Adobe-Bau verliert seinen Sinn, wenn er eine gewisse Größe überschreitet. Die immer noch vergleichsweise tiefen Preise verführten viele dazu, mehr Land zu kaufen, als sie nutzen konnten, größere Häuser, als sie brauchten. Wie eben Armistead Maupin, der nur einen Garten wollte und jetzt auf sechzigtausend Quadratmetern Land sitzt. Er ist übrigens wieder in San Francisco, lassen mich meine Freunde wissen. Seine Villa ist nun über Airbnb zu mieten, für fünfhundert Dollar die Nacht. «Er hat sich in Santa Fe gelangweilt», sagen sie mit leicht süffisantem Unterton. «Offenbar gibt es dort nichts zu tun!» Eine Einschätzung, die mein Sohn ganz offensichtlich teilt.

Nichts zu tun – vielleicht, denke ich. Aber es gibt hier etwas zu sein. Sich selbst. Eine Empfindung, die offensichtlich mit einem gewissen Alter einhergeht.

Der unfreiwillige Technologie-Entzug trägt auch nicht zur Verbesserung der Stimmung bei. Um das iPhone reparieren zu lassen, müssten wir nach Albuquerque fahren. «Das machen wir aber erst morgen», sage ich. «Auf dem Weg zum Flughafen.» Ich kann sehen, dass Cyril das Ende dieser gemeinsamen Tage so sehr herbeisehnt, wie ich es fürchte. Ich möchte ihm unbedingt noch etwas bieten, woran er sich später einmal gern erinnert. Immerhin freut er sich über die indonesischen Masken, die Frederic hinterlassen hat. Mir sind sie unheimlich, ich habe sie sofort abgehängt und im Küchenschrank versteckt. Aber Cyril gefallen sie, er will sie mit in die Schweiz nehmen und in seinem Zimmer aufhängen.

Cyril langweilt sich.

Plötzlich erinnere ich mich an die zackige Armeeoffizierin, die ich im Flugzeug getroffen habe. Ist das wirklich erst einen Monat her? «Was hältst du davon, eine alte Minenstadt zu besuchen? Wie aus einem alten Western?» Cyril zuckt mit den Schultern. Wir fahren los, eine gute halbe Stunde in Richtung Süden, auf dem Highway 14, dem Turquoise Trail. Die Straße, die die Minenstädte Madrid, Golden und Cerrillos mit Santa Fe verbindet, verdankt ihren Namen einem Publikumswettbewerb. Der erste Preis, ein Kofferset – vermutlich türkisfarben – ging an eine Lehrerin in Albuquerque. Tatsächlich wurde entlang dieser Straße aber auch Türkis geschürft. Die Pueblo-Indianer verarbeiteten diesen Stein schon um 900 in religiösen Gegenständen. Vor allem in der Gegend um Cerrillos, den «kleinen Hügeln», wird ein spezieller, fast grasgrüner Türkis gefunden. In Madrid hingegen – auf der ersten Silbe betont, wie mir eingeschärft wurde – wurde seit Anfang des 19. Jahrhunderts Kohle gefördert, vor allem für die Eisenbahn, die Santa Fe Railway. Das Ende der Kohleindustrie ließ auch diese kleine Stadt verwaisen, bis Anfang der siebziger Jahre Künstler und Handwerker in die leerstehenden Häuser zogen. Seither gilt Madrid als Treffpunkt der Aussteiger und Andersdenker. Vielleicht, weil die vielen leeren Minenschächte einen Hohlraum schaffen. Vielleicht, weil sich hier Kraftlinien kreuzen. Vielleicht auch einfach so. Es ist ein besonderer Ort. Von der Straße aus nicht sichtbar, in einer sanften Vertiefung zwischen den Hügeln gelegen, taucht er wie eine Fata Morgana plötzlich hinter einer Kurve auf. Die Wellblechdächer flimmern in der Sonne. Hier gibt es keine Adobe-Architektur. Die winzigen Holzhäuser, identisch mit kleiner Veranda und Hintertür, scheinen seit der Kohle-Ära unverändert.

In Madrid gefällt es Cyril. Wir schlendern die kurze Hauptstraße hinauf und hinunter, wühlen uns durch das Angebot der Ramschläden, kaufen etwas. Eine alte Wolldecke mit einem Loch in der Mitte, einen Blumentopf, ein riesiges Kruzifix. Dann essen wir in der Mine Shaft Tavern einen Hamburger. Ohne grünen Chili. Auf dem Heimweg werden wir eine Weile von einer Gruppe Motorradfahrer begleitet. Dann lassen sie uns in einer Staubwolke zurück. Kurz vor der Stadtgrenze sehen wir eine Herde Miniaturpferde auf dem verbrannten Gras des Seitenstreifens galoppieren, drei Männer verfolgen sie mit Lassos.

So etwas, das muss auch mein Sohn zugeben, so etwas sieht man sonst nirgendwo.

Die Kapitänin ist da: Connie und Magdalena

Ein paar Tage später hält ein Wohnmobil vor meiner Tür, und Magdalena steigt aus. «Wollen wir doch mal sehen, wie du hier wohnst!» Sie bringt tibetische Gebetsflaggen mit und einen winzigen Glücksbringer aus Wolle, den ihre Freundin Connie gestrickt hat. Connie selber ist diesmal nicht mitgekommen. Die lange Fahrt im Wohnmobil war ihr zu viel, die beiden haben gerade einen längeren Roadtrip hinter sich. Connie ist einundachtzig Jahre alt.

Als ich Magdalena kennenlernte, hatte sie sich gerade von ihrer Freundin getrennt. Sie hatte sehr genaue Vorstellungen von der nächsten: Jünger sollte sie sein, das auf jeden Fall. «Ich habe selber schon genug Mühe mit dem Älterwerden.» Politisch engagiert, eine lesbische Aktivistin am liebsten, definitiv nie mehr eine Frau mit heterosexueller Vergangenheit! Guter Plan, dachte ich. Als ich sie das nächste Mal sah, war sie Hals über Kopf verliebt in Connie, eine neunzehn Jahre ältere Chinesin, die vierzig Jahre mit einem Mann verheiratet gewesen war, den ihre Eltern für sie ausgesucht hatten. Magdalena ist die zweite Beziehung in ihrem Leben – und die erste große Liebe. Nach ihrer Scheidung hatte Connie sich mit diversen Aktivitäten von der Wut auf ihren Exmann abgelenkt. Mah Jong und Ukulele spielen, stricken. Und sie trat Magdalenas Schreibgruppe bei.

Magdalena ist Schriftstellerin. Sie ist die Schwester von Matthias und von Adrian Zschokke, dem zweiten Autor, der seine Bücher im Krösus Verlag veröffentlichte. Ich lebte schon ein paar Monate in San Francisco, als er mir erzählte, dass er eine Schwester habe, die ganz in der Nähe wohne, in Santa Cruz. «Und das sagst du mir jetzt?» Ich solle doch mal über sie schreiben, schlug er vor, und das tat ich dann auch. Im offiziellen Auftrag einer Schweizer Frauenzeitschrift rief ich sie an. Ich sprach Schweizerdeutsch mit ihr, doch sie unterbrach mich schnell. «I don't do that anymore!» Ihr Verhältnis zur Heimat ist im besten Fall gespalten.

«Ich habe mich neu erfunden, als ich das Land verließ», sagt sie. «Als jemand, der Englisch spricht.»

Vierundzwanzig war sie, als sie für ein Auslandssemester nach Neuseeland flog. Mit drei Tagen Verspätung kam sie dort an. «Da kannst du mal sehen, wie lange das her ist.» Die Tatsache, dass sie es geschafft hatte, auf die andere Seite der Erdkugel zu fliegen und dort auch anzukommen, machte sie wagemutig. Sie nahm einen Job auf einem Segelboot an, der Besitzer hatte seine Frau verloren und brauchte nun jemanden zum Putzen und Streichen. «Das kann ich», behauptete Magdalena kühn und kippte erst einmal vier Liter Farbe ins Meer. Doch irgendwann war das Boot bereit, und der Besitzer fragte sie, ob sie nicht mit nach Kalifornien segeln wolle.

«Sure!» Das erste Mal auf einem Segelboot auf dem offenen Meer und das gleich für sechs Monate. Als sie in Kalifornien ankam, hatte sie drei Wochen lang kein Land gesehen. Sie fühlte sich wiedergeboren: «Ich hab's überlebt – ich bin unbesiegbar – ich will noch mal!» Das Auslandssemester fiel flach. Stattdessen verbrachte sie zwölf Jahre auf See, als Kapitänin von Charterbooten meist, ohne festen Wohnsitz, immer unterwegs. «Deshalb schreibe ich Englisch: Die Welt des Segelns existiert für mich einfach nur in dieser Sprache.»

Wir verabredeten uns für das nächste Wochenende in Santa Cruz, die ganze Familie fuhr die Küste hinunter. Mein damaliger Mann sollte die Fotos für den Artikel machen, abwechselnd würden wir mit den Kindern am Strand spielen und den Boardwalk besuchen, den altmodischen Jahrmarkt direkt am Meer mit der ältesten Achterbahn des Landes, aus Holz, dem Giant Dipper. Santa Cruz, südlich von San Francisco am Pazifik gelegen, ist die unbestrittene Hauptstadt der Surfer, Hippies, Exzentriker – und am Wochenende der Touristen. Auf dem Boardwalk ist das ganze Jahr über Chilbi. Achterbahn, Zuckerwatte, Souvenirshops. Ein Paradies für die Kinder – Santa Cruz wird ihr Lieblingsausflugsziel bleiben. Hier ist Magdalena vor Jahren gestrandet, nach einem ungeheuren, dreißig Stunden dauernden Sturm. «Die Wellen waren höher als das Boot. Da hast du nicht mal mehr Angst, hoffst nur noch, es sei bald vorüber. Und als wir hier ankamen, schien die Sonne, die Leute surften gemütlich, während wir da draußen beinahe ertrunken wären. Total surreal.» Bald darauf gab sie das Segeln auf, nicht zuletzt, weil sie das Gefühl hatte, ihr Glück ausgereizt zu haben. Nach dem Tod ihres Vaters kehrte Magdalena für kurze Zeit in die Schweiz zurück. Danach hatte das Segeln irgendwie seinen Sinn verloren. Sie suchte eine Universität, an der sie ihr Studium der Literatur weiterführen konnte, und landete wieder in Santa Cruz, der Stadt, in der sie damals gestrandet war. Die Universität ist für

Frauenstudien bekannt, und die Stadt liegt am Meer. Magdalena segelt nicht mehr, aber sie geht *boogie boarden*. «Surfen für Arme» nennt sie es, wenn sie sich auf dem Bauch auf einem kurzen Schaumstoffbrett liegend, von der Gischt ans Ufer spülen lässt. Das Leben auf hoher See vermisst sie nicht. «Am ehesten noch das Ausschalten all dieser Reize, die einen an Land überfluten. Nach zwei oder drei Wochen auf dem offenen Meer sieht man die Farben viel deutlicher, all die Rot- und Gelbtöne. Und dann die Gerüche!»

Wir verabredeten uns in einem Lokal, das typisch war für das Santa Cruz der neunziger Jahre: Rebecca's Mighty Muffin. Ich weiß noch, dass Magdalena sich über meine Frühstücksgewohnheiten lustig machte: «They still do coffein in Europe?», fragte sie ironisch. Ich erinnere mich auch, dass wir sieben Stunden ununterbrochen redeten und dass ich nichts davon im Artikel verwenden konnte. Es war Freundschaft auf den ersten Blick.

Als ich Magdalena kennenlernte, schrieb sie Kurzgeschichten und Krimis. Mit leicht ironischem Unterton sprach sie damals schon von «*dem* großen Roman», den sie schreiben würde. Mit ihrem letzten Buch, *Diving the Wrecks*, ist er ihr gelungen. An ihrer Hauptfigur Emma spielt die Autorin das Leben durch, das auf sie gewartet hätte, wäre sie in der Schweiz geblieben. Eine unheimliche, bedrückende Symphonie in Grautönen und Kältegraden, immer wieder durchbrochen von hellen, farbenfrohen Visionen. Visionen vom Meer, vom Himmel, vom Strand spalten den Nebel. Vom Boardwalk auch, von Santa Cruz, von einem anderen Leben, das auch möglich wäre. Es ist ein Buch, das weniger geschrieben als geboren wurde. Doch Magdalena glaubt nicht an das romantische Ideal des Schriftstellers im Kämmerlein: «Es ist wichtig, Kritik von außen zulassen zu können, um nicht dieser Phantasie zu verfallen. Was hätte Schreiben für einen Sinn, wenn nicht den, zu kommunizieren? Was manchmal bedeutet, mehr zu erklären, als man eigentlich will.»

Magdalena unterrichtet kreatives Schreiben und asiatischen Kampfsport. Sie leitet Schreibgruppen in Hochsicherheitsgefängnissen und in gemütlichen Wohnzimmern. Gerade wurde sie eingeladen, ein neues Schreibseminar in einem Frauengefängnis aufzubauen. Bei ihrem letzten Einsatz in einem Männergefängnis ist sie in einen Häftlingsaufstand geraten, doch das schreckt sie nicht ab. «Meine Theorie ist ja: Wer sich Schreiben als Ausdrucksform zugänglich machen kann, braucht keine radikaleren oder selbstzerstörerischen Ventile mehr. Schreiben ist Heilung.»

Damals, vor fünfzehn Jahren, als wir uns kennenlernten, leitete sie eine solche Schreibgruppe für Frauen in Santa Cruz, die sich wöchentlich traf. Und zu dieser Gruppe gehörte auch Connie. Connie, die sie eines Tages fragte, ob sie noch mit ihr einen Kaffee trinken wolle. «Ich weiß nicht, was mit mir los ist», sagte sie. «Ich kann dir kaum mehr zuhören, wenn du uns etwas erklärst. Ich starre immer auf deine Lippen – es ist so seltsam, ich habe so etwas noch nie erlebt. Ich glaube fast, ich möchte dich küssen.»

Die toughe Kapitänin zuckte mit den Schultern. «Es gibt nur einen Weg, das herauszufinden», sagte sie. Und das war es dann. Fünfzehn Jahre später sind sie immer noch zusammen, obwohl Connie zunächst drohte, die Beziehung nach zwei Jahren zu beenden. «Nach siebzig schickt sich so etwas nicht mehr!» Und zu Magdalenas großem Erstaunen wurden sie nicht geschnitten. Für Connies erwachsene Kinder war es problematisch, dass Magdalena weiß ist. Dann ihr Alter. Dass sie eine Frau ist, störte niemanden.

Beinahe irritiert berichtete Magdalena von ihrer ersten gemeinsamen Reise: «Niemand hat auch nur mit der Wimper gezuckt, wenn wir ein Doppelzimmer wollten. Denken die Leute etwa, wir hätten keinen Sex? Nur weil wir graue Haare haben?» Connie ist der mutigste Mensch, den ich kenne. Ich stelle mir vor, wie es ist, mit achtundsechzig Jahren nicht zu wissen, wie sich Begehren anfühlt, Verliebtheit. Wie es ist, das zum ersten Mal zu erleben und nicht einordnen zu können. Was es braucht, um das auszusprechen, in Worte zu fassen, die man nicht hat.

«Bist du immer so ehrlich?», frage ich sie einmal.

«Ach, weißt du, das Leben ist doch kompliziert genug. Wenn die Leute dann noch ständig etwas ganz anderes sagen, als sie wirklich meinen, dann wird es vollkommen unmöglich!»

Das Wohnmobil passt genau auf den Parkplatz vor meinem Häuschen. Es ist klein, aber es hat alles, was man braucht, nämlich immer weniger, als man meint. Diese Reduziertheit hat etwas Befreiendes. Vor allem, wenn man wie Magdalena jahrelang auf einem Boot gelebt hat. Bis heute ist sie nicht in Connies «großes Haus» eingezogen, sondern lebt in zwei umgebauten Werkzeugschuppen im Garten. Einer ist zum Schreiben eingerichtet, der andere zum Schlafen. Kurz bevor ich damals aus San Francisco in die Schweiz zurückzog, habe ich einmal in diesem Schuppen übernachtet. Ein Hochbett, ein paar Bücher, ein Licht zum Lesen. Nachts hörte ich Tiere im Garten rascheln, in Griffweite steckte ein Messer hinter dem Bettgestell. Ich fühlte mich wie eine Piratin. Ich fühlte mich frei. Und unangreifbar. Wer nichts hat, kann nichts verlieren.

Da nimmt sich meine Casita wie eine Villa aus. Vor allem, wenn man den Gartensitzplatz dazuzählt, der in den Sommermonaten mein zweites Wohnzimmer ist. Wenn ich morgens aufstehe, sitzt Magdalena schon da. Sie klappt ihren Computer zu: «Und jetzt? Was willst du hier tun? Was hast du noch nicht entdeckt?»

Das habe ich mir noch gar nie überlegt. Ich bewege mich in konzentrischen Kreisen: Vom Fenstersitz in den Garten, von der Casita in die Siedlung, die Straße hinauf und hinunter, ins Viertel hinein. Von da in die Innenstadt, zum Yogastudio und in eins meiner beiden Lieblingscafés, von denen eins auch meine Lieblingsbuchhandlung ist. Sollte ich je ein Buch in englischer Sprache publizieren, hat Jim von Garcia Street Books bereits angeboten, die Buchpremiere zu organisieren. Sehenswürdigkeiten zeigen sich an jeder Ecke. Was wünsche ich mir noch? Mehr Zeit hier, das ist alles. Aber Magdalena wartet immer noch auf eine Antwort.

«Die Oper!», fällt mir ein. Als ich das letzte Mal hier war, in meinem teuren Hotelzimmer, habe ich Karten für den ersten August reserviert, den Schweizer Nationalfeiertag. Ich konnte ja nicht wissen, dass Magdalena genau an diesem Tag hier sein würde. Aber es passt: Bereits letztes Jahr haben wir den ersten August gemeinsam gefeiert, weit weg von der Heimat.

Die Oper in Santa Fe ist vor allem dafür berühmt, dass sie keine Wände hat. Auch das Dach, das wie eine Zeltplane mit Kabeln auf Säulen gespannt ist, wurde erst gebaut, nachdem ein Feuer das ursprüngliche Open-Air-Theater zehn Jahre nach seiner Eröffnung 1957 vollkommen zerstört hatte. Von weitem sieht man es wie die aufgespannten Flügel eines Riesenvogels in den roten Felsen vor der Stadt schweben. Die Opernsaison ist gleichzeitig das, was man hier die Monsunzeit nennt und anderswo Sommer. Jeden Abend gewittert es. Oft geht ein Platzregen nieder. Meist dauert er nur zwanzig Minuten, er kann aber auch ein paar Stunden anhalten. Das alles muss in die Inszenierung einbezogen werden und macht ihren besonderen Reiz aus. Die Landschaft, die Natur und das Wetter stellen Bühnenbildner, Licht- und Tontechniker ebenso auf die Probe wie die Sänger selber, die oft ihre Stimme gegen den grollenden Donner erheben.

Magdalena hat sich bereits informiert: Fast wichtiger als der Opernbesuch selber ist das sogenannte Tailgate Picknick. Diese Tradition stammt eigentlich von Sportanlässen – die Zuschauer erscheinen Stunden vor Spielbeginn, packen Klapptische und Minigrills aus und braten auf dem Parkplatz Hamburger. Das Opernpublikum hat vermutlich einen gehobeneren Geschmack. «Okay, du hast die Karten, ich kümmere mich um das Picknick!» Magdalena holt ihr Klappfahrrad aus dem Wohnmobil und radelt zu Kaune's Market hinunter, einem Quartierladen für die Reichen und Schönen. Sie bringt Wein mit, Brot, Paté, Käse, lauter Dinge, die die gesundheitsbewussten Amerikaner sonst nicht essen. Wir machen uns schön und fahren zur Oper hinaus, die etwa fünf Kilometer vor der Stadt liegt. Der Vorstellungsbeginn ist auf Sonnenuntergang gelegt, in dieser Jahreszeit etwa um halb neun. Wir dachten, wir seien früh dran, aber der Parkplatz ist um halb sieben schon überfüllt.

Keine Ahnung, was ich mir vorgestellt habe: ein impressionistisches Déjeuner sur l'herbe? Weidenkörbe und Wolldecken im Schatten alter Bäume? Ich weiß doch, dass hier kein grünes Gras wächst. Trotzdem war ich auf diesen Anblick nicht gefasst: In den schmalen Zwischenräumen zwischen den dicht an dich geparkten Geländewagen stehen Klapptische. Manche haben ihre Stühle direkt an den offenen Kofferraum gerückt. Abgasgeruch hängt in der Luft, und heiß ist es auch immer noch. Immerhin sind die Tische oft mit weißem Leinen gedeckt, mit Tafelsilber und Kerzenständer.

Manche Paare tragen viktorianische Kostüme. Jemand von der Zeitung fotografiert, die Aufmachung wird bewertet. Auch Regenschirme stehen bereit, durchsichtige Pastikumhänge und silbern schimmernde Isolationsdecken, wie sie auf Expeditionen ins Gebirge mitgeführt werden.

«Wir sind nicht ausgerüstet», stellt Magdalena fest. Wir haben keinen Tisch und keine Stühle, nur eine Decke, die wir ins nicht vorhandene Gras legen wollten. Doch dann ergattert die Kapitänin einen freien Picknicktisch am Rand des Parkplatzes. Wir kehren den Geländewagen, den Zeitungsfritzen, den Auspuffgasen den Rücken zu und genießen freien Ausblick in die umliegenden Hügel. Magdalena packt unser Picknick aus. Wir haben ein Tischtuch und Stoffservietten und richtige Gläser. Magdalena macht den Wein auf, schenkt ein und reicht mir den Korken.

«So viel zu deinem Hauskauf!», sagt sie.

Ich schaue mir den Korken an. «Plan some spontaneity», steht darauf.

In guten Händen

In kurzer Zeit hat mein Alltag wieder einen einfachen, überschaubaren Rhythmus. Morgens gehe ich zum Yoga, ich habe ein Studio gefunden, in dem ich wieder etwas Neues lerne, eine andere Art Yoga, als ich gewohnt bin. Langsamer und genauer. Und plötzlich bin ich auch nicht mehr die Älteste im Saal. Während jeder Lektion lerne ich spannende Frauen kennen, viele über siebzig, manche weißhaarig, manche mit flammenden Hennahaaren oder dunkelblauen Strähnen. Viele sind exzentrisch angezogen, mit neonfarbenen Tigerleggins, und die meisten sind topfit. Die vergleichsweise dezent gekleidete, bildschöne Frau, die rücklings auf der Yogamatte neben mir liegt, biegt sich gerade das linke Schienbein vors Gesicht – ihr rechtes Bein ist pfeilgerade auf dem Boden ausgestreckt. Währenddessen unterhält sie sich mit ihrer Nachbarin auf der anderen Seite, als sei das nichts Besonderes. Sie wärmt sich nur auf. Ich kann nur noch hinstarren. Und plötzlich wird mir bewusst, dass ich das schon einmal gesehen habe, einen derart mühelosen Spagat.

Es war vor neunzehn Jahren. Nach Cyrils Geburt war ich, nun ja, außer Form. Ich hatte wie bei meiner ersten Schwangerschaft über zwanzig Kilo zugenommen. Aber ich war nicht mehr vierundzwanzig, ich war einunddreißig und galt damals als Spätgebärende. Mein Körper schaltete nicht mehr so schnell um. Also dachte ich, damals eine bekennende Couchpotatoe und stolz darauf, vielleicht müsste ich doch etwas für die Figur tun. Yoga klang gut, irgendwie entspannend und nicht allzu anstrengend. Der große westliche Yogawahn war noch nicht ausgebrochen. Von irgendwoher bekam ich eine Videokassette – das gab es damals noch! –, und die zeigte Ali McGraw, die unvergessene Schönheit aus *Love Story*, die in einem schneeweißen, hautengen Trikot inmitten schneeweißer Sanddünen unmöglich scheinende Verrenkungen vorführte, während der Yogalehrer Eric Schiffmann aus dem Off leise näselnde Anweisungen gab. Bis heute habe ich seinen Trost im Ohr zu der Baumstellung, die auf einem Bein stehend ausgeführt wird: «Es macht nichts, wenn ihr schwankt – Bäume schwanken nun mal im Wind.»

Dieses Video beruhigte mich. Ich fand es wunderschön, immer wieder schaute ich es mir an. Trotzdem konnte ich mich nie aufraffen, von der Couch aufzustehen und mitzumachen. Diese Bewegungsabläufe schienen einfach nicht für den menschlichen Körper gemacht – jedenfalls nicht für meinen.

Ich starre wieder zur Frau neben mir. Ist das … kann das sein? Waren diese weißen Dünen im Video nicht das White Sands National Monument in New Mexico? Hat nicht Bette Midler in der Rolle von Sue Menken erzählt, wie glücklich Ali McGraw in Santa Fe ist? Hat nicht Armistead Maupin in einem Interview über seinen neuen Wohnort erzählt, dass man auf der Post unverhofft Ali McGraw über den Weg läuft?

Die ganze Stunde fällt es mir schwer, mein Drishti, meinen Fokuspunkt zu halten. Immer wieder schaue ich verstohlen zu meiner Nachbarin hinüber. Ein bisschen älter, ein bisschen grau um die Schläfen, aber unverkennbar die gerade Nase, die dichten Augenbrauen. Das ist sie.

Nach der Stunde sitzt sie in der Garderobe und plaudert unbefangen mit allen. Ich traue mich, sie anzusprechen. Erzähle ihr die Geschichte vom Wochenbett und vom Video. «Wer hätte gedacht, dass ich zwanzig Jahre später in derselben Yogastunde lande wie Sie!»

Sie lacht. «Das ist das Leben – immer wieder erstaunlich, nicht?»

«Ich habe immer noch Schiffmans Stimme im Ohr», sage ich. «Bäume …»

«… schwanken im Wind!», fällt sie ein. Und umarmt mich. «Willkommen in Santa Fe!»

Nächste Woche erkennt sie mich nicht wieder, aber das macht jetzt nichts mehr.

Bevor ich abreise, treffe ich mich noch einmal mit Doris. Doris stammt aus der Nähe von Bern, lebt aber seit über zwanzig Jahren hier. Hier hat sie ihren Sohn großgezogen und sich die meiste Zeit allein durchgeschlagen. Wenn ich mit ihr unterwegs bin, fühle ich mich, als begleite ich eine Berühmtheit durch die Stadt. Überall wird sie erkannt und liebevoll begrüßt, zu jeder Begegnung gibt es eine Geschichte. «Sie hat mir immer ein großzügiges Trinkgeld gegeben, als ich noch im Café arbeitete ... Unsere Kinder spielten immer zusammen ... Der hatte früher vier Ponys und zwei Esel, die habe ich einen Sommer lang gehütet ... Das war der begehrteste Rahmenmacher der ganzen Stadt, meine Kunden stehen Schlange bei ihm ...»

Doris kümmert sich um die verwaisten Zweithäuser, wenn ihre Besitzer nicht in der Stadt sind. Sie hat einen unglaublichen Einblick in das Leben der Reichen und Schönen. Manche Kunden stellen sie an, um ihre Post zu öffnen oder um Berge von ungetragenen Kleidern in die Schränke zu räumen. Früher hat sie auch geputzt, und die innere Schweizerin kann sie nicht ganz ablegen. In ihrem Stammcafé, einem Hipsterladen namens Better Day, zieht sie eine Flasche Pourtout aus der Tasche, sprüht die nicht mehr ganz weißen Bänke ein und reibt sie sauber. «Na, sieht das nicht schon viel besser aus?», strahlt sie den bärtigen Barista ein. Der kann nicht anders, als zu nicken. «Doris, du bist unglaublich!» Sie zuckt nur mit den Schultern. Für sie ist das ganz normal. Sie hat diese Gabe, Verbindungen zu knüpfen oder eher, sie zu entdecken. Bei einer Freundin fallen ihr die schönen Türklinken auf, bei einer anderen die besonders üppig blühenden Glyzinien. Automatisch fragt sie nach: «Wer hat die gemacht? Wo hast du die her?» Sie sieht alles, sie merkt sich alles. Wenn jemand erzählt, dass er ein altes Motorrad gekauft hat, fällt Doris garantiert jemand ein, der sich gerade als Mechaniker selbständig gemacht hat. Ihr eigenes Kunstwerk ist ihr Garten, eine üppig wuchernde und doch genau durchdachte Oase. «Als ich hier einzog, war da nichts», sagt Doris. «Die Vorbesitzer haben Esel im Garten gehalten.» Jetzt kann sie sich fast schon selber versorgen. Langfristig möchte sie ihr Haus vermieten und in ihrem Gartenpavillon wohnen. Der Pavillon ist vielleicht halb so groß wie mein Haus. Aber er hat alles, was sie braucht. Und er ist von blühenden Sträuchern umgeben, Kolibris summen vor dem Fenster. Da sind sie wieder, die kleinen Häuser. Doris teilt meine Faszination. Sie schickt mir Links zu Internetseiten, Filmen, Gesprächsforen. Es gibt eine ganze Bewegung, von der ich nichts wusste, eine Bewegung der kleinen Häuser. Die Liebe zu den minimalen Räumen ist meist aus Notwendigkeit geboren, doch aus dieser Notwendigkeit erwächst ein Bedürfnis. Ein Bedürfnis nach Weniger-statt-mehr. Reduktion statt Expansion. Kleine Räume zwingen zur Einschränkung. Sie erlauben keine Verzettelung, kein Chaos, keinen Ramsch. Diese Reduktion entspannt den Geist. Wer einmal klein gelebt hat, kann nicht mehr zurück. Ich denke an Magdalena und ihre nachempfundene Kajüte. Und wie gut ich dort geschlafen habe.

Könnte ich alles aufgeben und nur in der Casita leben? Die Frage stellt sich vorläufig gar nicht. Cyril geht noch zur Schule. Ich habe meine tolle Wohnung in Aarau, mein Refugium, die Schreibwerkstatt, in der ich meine Kurse gebe. Ich habe meine Arbeit, die mich am Leben erhält, ich habe sieben Paar Cowboystiefel und Hunderte von Büchern.

«Würdest du auch mein Haus übernehmen?», frage ich Doris. Ich weiß, dass die Häuser, die sie normalerweise betreut, größer sind. Mehr hergeben. Außerdem hat sie ja gesagt, sie wolle weniger arbeiten. Aber fragen kann man ja.

«Natürlich», sagt sie.

Alles, was ich in San Francisco jahrelang ohne Erfolg versucht habe, geht nun pötzlich ganz einfach. Ich habe ein möbliertes Haus und jemanden, der auf es aufpasst. Im Gegensatz zu dem Haus in San Francisco ist die Casita von der

Straße aus nicht zu sehen, auch vom Parkplatz aus nicht. Sie kann also auch einmal leer stehen, ohne dass gleich eingebrochen wird. Und mit der Zeit werde ich sie bestimmt vermieten können. Die Produktionsgesellschaften, die hier in der Gegend ihre Filme und Fernsehserien drehen, suchen immer temporären Wohnraum, nicht nur Villen für ihre Stars, sondern auch bescheidenere Unterkünfte für die Techniker und die Assistenten. Ich werde also hin- und herreisen können, je nachdem, was mein Zeitplan hergibt. Auch mal länger bleiben, einen Monat oder zwei. Cyril wohnt halb bei mir und halb bei seinem Vater und findet es ohnehin einfacher, längere Zeitabschnitte an einem Ort zu verbringen. Langsam beginnt sich ein Plan für die Zukunft abzuzeichnen. Auch wenn ich weiß, dass Pläne selten aufgehen, ist es doch schön zu merken: So könnte es gehen. So könnte ich leben.

Ich gebe Doris einen Schlüssel. Sie runzelt die Stirn, als sie den Schlüsselanhänger sieht. «‹I got ruined in New Mexico›? Na, na – das wollen wir doch nicht hoffen!»

Am allerletzten Tag begegne ich Frederic im Teahouse. Ich will gerade gehen, als er hereinkommt. Im ersten Moment habe ich das Gefühl, er erschrickt, als er mich sieht. Er würde am liebsten gleich wieder umkehren. Doch es gibt nur einen Eingang. Erkennbar fängt er sich, setzt ein breites Lächeln auf. «Milena, das glaub ich ja nicht! Wie geht es dir, was macht das Haus – gut siehst du aus!»

Ich lächle unverbindlich. «Gut», sage ich. «Danke.»

Er zögert, dann reißt er sich zusammen. «Hast du Zeit für einen Kaffee?»

Ich war gerade dabei zu gehen. Aber ich sage ja. Klar. Wir suchen uns einen Tisch unter den Bäumen, studieren die Karte. Ein angespanntes Schweigen breitet sich zwischen uns aus. Mit jedem Moment, der vergeht, wird es schwieriger, etwas zu sagen.

Was ist aus dieser «wundervollen Freundschaft» geworden, der ich so sicher war? Was war es, was ich damals gespürt habe?

Ich warte. Ich sage nichts. Nicht: «Wo hast du die ganze Zeit gesteckt?» Nicht: «Was ist das für ein Benehmen – einfach so zu verschwinden?» Und auch nicht: «Was sollte dieses Auftrumpfen mit dem Geld? Das fand ich ziemlich peinlich.»

Ich warte einfach. Frederic bestellt. Er ist nervös.

Unsere Getränke kommen. Ich rühre in meinem Eistee, obwohl ich gar keinen Zucker hinzugefügt habe.

Schließlich sagt Frederic: «Wir hatten was zusammen, nicht?»

Ich schaue auf. «Hatten wir?»

«Ja. Wir hatten ein gemeinsames Stück Weg, eine gemeinsame Aufgabe – ich musste das Haus verkaufen, du musstest es kaufen.»

«Das sehe ich ganz genauso», sage ich. Ich trinke noch einen Schluck Eistee, schaue auf die Uhr. «Ich muss jetzt», sage ich. «War schön, dich zu sehen. Danke für das Haus.»

Und dann stehe ich auf. Ich lasse den Eistee stehen, und ich lasse Frederic auf der Rechnung sitzen. Ich weiß nicht, wann ich das zuletzt getan habe. Ob ich das überhaupt schon einmal getan habe. Es geht nur um zwei Dollar fünfundsiebzig, trotzdem: Es fühlt sich nicht schlecht an.

III
DIE PRÜFUNG ZUM GLÜCK

Lake Milena zum Zweiten

Am vierten September, zwei Wochen nach meiner Rückkehr, erscheint mein Buch *Das wahre Leben*. Nach der Buchvernissage übernachte ich bei meiner Freundin Pie in Zürich. Wir reden bis tief in die Nacht, bis die Premiereneuphorie verflogen ist. Am nächsten Morgen schaue ich noch im Halbschlaf meine Nachrichten an. Als könnte ich das Hoch noch einmal anfachen – bestimmt hat jemand geschrieben, reagiert, gratuliert? Das Erscheinen eines Buches ist immer mit einer gewissen Leere verbunden. Der Moment, auf den man so lange hingearbeitet hat, verfliegt, verpufft. Das Buch ist da, die Welt dreht sich weiter. Und mein Handy zeigt mir statt Glückwünschen vier zunehmend verzweifelte Nachrichten von Doris an: «Ruf mich sofort an!»

Ich rufe sie sofort an. «Was ist passiert?»

«Sitzt du?», fragt sie. «Nein? Dann setz dich besser hin.»

Als sie das erste Mal nach dem Haus schaute, fiel ihr eine Pfütze im Eingang auf. Sie wischte sie weg. Eine Woche später war sie wieder da, sie schien größer geworden. Doris rief einen befreundeten Handwerker an, der schickte ein paar Männer vorbei. Diese hebelten ein oder zwei Bodenplatten heraus – und entdeckten unter meinem Haus einen See. Dort, wo der «crawl space» sein sollte, war Wasser. Zwei Meter tief. Die Wasserleitungen müssen seit Monaten, wenn nicht Jahren, undicht gewesen sein. Baumwurzeln haben sich hindurchgebohrt, stellenweise sind sie zerbrochen. Seit Monaten, wenn nicht Jahren tropft das kostbare Wasser, das in diesem Wüstenklima streng rationalisiert wird, unbemerkt in den Boden und verwandelt ihn in einen See.

Ich setze mich. Lake Milena, denke ich. Wie in meinem Traum.

Es ist später Nachmittag in Santa Fe, ich gebe Doris die Nummer von Marcia, der Verwalterin. «Darum kann ich mich jetzt nicht auch noch kümmern», blafft diese Doris an. «Ich habe gerade ein Schlafmittel genommen!»

»Tu, was du tun musst», sage ich zu Doris, und sie: «Ich bin schon dran!» Von morgens um fünf bis nachts um elf ist sie im Haus, überwacht die Arbeiten, informiert die Nachbarn – das Wasser der ganzen Hinterhofsiedlung muss abgestellt werden. Manche der Nachbarn reagieren freundlich, andere ungehalten. «Ich brauche aber Wasser, um mir die Haare zu waschen!» Doris trägt kübelweise Wasser von der anderen Straßenseite herüber. Ich versuche mir vorzustellen, was ich ohne Doris tun würde. Was passiert wäre, wenn sie die Pfütze nicht entdeckt hätte. Die nächsten Tage sind auch für mich hektisch. Die Lesereise mit dem neuen Buch beginnt, ich muss Interviews geben und versuche trotz der Zeitverschiebung erreichbar und auf dem Laufenden zu sein. Es ist schwer, mit dieser Katastrophe allein fertig zu werden. Noch schwerer, darüber zu reden, die Reaktionen auszuhalten: «Da hast du nun davon! Wer tut auch so etwas! Kauft ein Haus, ohne –»

Selber schuld ist man immer selber. Nur Pie unterstützt mich. Sie bleibt als Einzige gelassen. «Alte Häuser brauchen nun mal viel Zuwendung», sagt sie. «Alte Häuser kosten Geld. Das ist normal.» Nicht mein Versagen also. Nicht mein Fehler.

Wenigstens habe ich eine Versicherung, denke ich. Diese ist in den jährlichen Unterhaltsgebühren, die ich der Eigentümergemeinschaft zahle, inbegriffen. Sicherheitshalber schaue ich noch einmal im Vertrag nach. Ohne zu wissen, ob die Versicherung auch wirklich zahlen wird, gebe ich Doris das Okay, jemanden anzustellen, der die Leitungen ersetzt. Was soll ich denn sonst tun? Ein Biotop anlegen?

Meine Freundinnen toben. «Du bist übers Ohr gehauen worden! Das ist ja furchtbar! Wie konnte das nur passieren?»

Ja, wie? Ich denke an Javier, den dicken Inspektor, der nicht in den «crawl space» kriechen konnte. Beim Ausleuchten mit der Taschenlampe hätte er den See entdecken müssen, oder nicht? Ich denke an George, der sich vor der verabredeten Zeit mit dem Inspektor getroffen hat. Und ich denke vor allem auch an Frederic. An seine Nervosität, als ich ihn am letzten Tag im Teahouse traf. Sein beinahe schuldbewusstes Gebaren. Ich dachte, er schäme sich, weil er, kaum war das Geld auf seinem Konto, den Kontakt abgebrochen hat. Aber da war wohl noch mehr.

Es stellt sich heraus, dass die Versicherung, die ich mit meinen Gebühren bezahle, nur den gemeinsamen Bereich abdeckt. Für meine eigene «Einheit», mein kleines Haus, müsste ich eine zusätzliche eigene Versicherung haben. Jeder hat das. Jeder weiß das. Nur ich nicht. Woher hätte ich es wissen sollen? Versicherung ist Versicherung, dachte ich. Ich leite den Brief der Hauseigentümerversammlung an George weiter. Er reagiert sofort, zeigt sich hilfsbereit, liest die hundert Seiten dicken Geschäftsbedingungen und meint, vielleicht hätte ich eine Chance. Denn in diesen Bedingungen ist meine eigene Einheit durch ihre Wände, den Fußboden und die Decke definiert. Die Leitungen befinden sich aber eindeutig außerhalb dieser Grenzen, nämlich unter dem Fußboden. Also müsste die Versicherung der Eigentümergemeinschaft für die Kosten aufkommen. Er formuliert sogar die Antwort für mich. Aber er ist wie Doris der Meinung, es würde sich nicht lohnen, einen Anwalt beizuziehen. Anwälte kosten viel Geld. Will ich wirklich meinen Einstand feiern, indem ich gleich als Erstes meine Nachbarn verklage?

Während ich auf eine Antwort der Versicherung warte, arbeiten Jean-François und seine Männer unter Doris' Aufsicht weiter. Sie schickt Fotos, eins davon starre ich lange an, ohne zu erkennen, was der blaue Fleck in der Mitte ist. Erst nach einer Weile erkenne ich den gebeugten Rücken eines Mannes, der ein blaues T-Shirt trägt. Er kauert in dem Loch in meinem Wohnzimmer, sicher zwei Meter unter dem Fußboden.

Wo einmal mein Wohnzimmer war, ist nun Wasser. Ein See. Es sieht genauso aus wie in meinem Traum, nur dass das Wasser nicht blau ist, sondern braun. Unglaublich, denke ich, dass ich auf diesem See gelebt habe, ohne es zu merken. Dass Frederic auf diesem See gelebt hat, ohne es zu merken?

Der ganze Fußboden musste aufgedeckt werden, damit der See darunter austrocknen kann. Erst dann können die Leitungen ersetzt werden. Immerhin sollte das in diesem Wüstenklima nicht allzu lange dauern – aber ausgerechnet in diesem Jahr regnet es den ganzen September hindurch. Einen so nassen September hat die Stadt seit hundert Jahren nicht gesehen. Der Santa Fe River schwillt an, grünes Gras wächst an seinen Ufern, und mein Wohnzimmer hat Hochwasser.

Ich schicke Frederic die Bilder. Er hat sich unterdessen zum Kandidaten für die Gouverneurswahl aufstellen lassen. Seither bin ich wieder auf seiner Verteilerliste und werde im

Stundentakt über seine Vorhaben informiert. Wider Erwarten antwortet er sofort: «Ich wage nicht nachzufragen …» Ich erkläre ihm die Situation, ohne ihm irgendetwas vorzuwerfen. Er zeigt sich angemessen schockiert und rät mir, die Galeristen im Vorderhaus zu kontaktieren – dasselbe sei denen ein Jahr zuvor passiert, und die Versicherung habe es bezahlt. Dann schickt er mir ein Bild von einem hübschen Jungen in einem Schlafsack. «Was für ein Zufall – am Tag, an dem du mir schreibst, habe ich einen jungen Koch aus der Schweiz bei mir zu Besuch.»

Die Eigentümergemeinschaft weist jede Haftungsverpflichtung zurück. Nachdem der Wasserschaden in der Galerie entdeckt worden war, wurden alle gemeinsamen Leitungen, die von der Straße zur Siedlung führen, auf Kosten der Gemeinschaft beziehungsweise der gemeinsamen Versicherung ersetzt. Die Leitungen, die vom gemeinsamen Bereich in die einzelnen Häuschen führen, musste jeder Besitzer auf eigene Kosten erneuern. Um diese Kosten gering zu halten, haben sich fast alle dafür entschieden, die Arbeiten gleichzeitig und von derselben Firma vornehmen zu lassen. Ich bekomme eine Kopie des Protokolls der letzten Jahresversammlung, in dem dieser Beschluss festgehalten ist. Das Protokoll wurde von Frederic mit unterschrieben, er war damals im Vorstand.

Kurz nach dieser Versammlung muss er beschlossen haben, sein Haus zu verkaufen. Weil er kein Geld für neue Leitungen hatte. Habe ich es? Ich weiß immer noch nicht, was die ganze Sache kosten wird. Jean-François kann keinen Kostenvoranschlag machen, solange alles unter Wasser liegt.

»Sicher sechzigtausend», schätzt Katchie.

»Sechzigtausend?» Das wäre das Ende. Das würde mir das Genick brechen.

Katchie schimpft mit mir: «Du hättest niemals auf eine eigene Agentin verzichten dürfen, du hättest mit Shawn zusammenarbeiten müssen, du hättest die Inspektion niemals akzeptieren dürfen.»

»Und, was nützt mir das jetzt?», fahre ich sie an.

Die Einzige, die die Ruhe bewahrt, ist Pie. «Würde es dich ruinieren?», fragt sie.

Ich zucke mit den Schultern. «Ich hab das Geld nicht, falls du das meinst.»

»Kannst du es dir leihen?»

»Ich weiß nicht. Ich weiß ja nicht einmal, wie teuer es wird.»

»Es gibt eigentlich nur zwei Möglichkeiten», sagt Pie. «Entweder du kannst es bezahlen, ohne dich zu ruinieren, dann machst du es. Wenn nicht, dann nicht. Dann musst du das Haus verkaufen oder einen Kredit aufnehmen. Aber Leitungen gehen nun mal kaputt, Dächer auch. Irgendetwas wird immer sein.» Daran halte ich mich, bis Jean-François endlich einen Kostenvoranschlag schickt: zehntausend Dollar. Das schaffe ich gerade noch. Damit bin ich wieder beim ursprünglichen Kaufpreis.

Meine Freundinnen schreien nach Rache. Frederic soll bezahlen, Frederic soll büßen! Dass er mich übers Ohr gehauen hat, ist nur das eine, dass er mit mir geflirtet hat, um sein Ziel zu erreichen, das andere. Sie sind in meinem Namen empört oder statt meiner empört. Denn seltsamerweise empfinde ich nichts. Ja, ich könnte ihn verklagen. Er hat immerhin eine notariell beglaubigte Erklärung unterschrieben und bestätigt, dass ihm keine größeren Schäden am Haus bekannt sind. Das Protokoll der Versammlung der Eigentümergemeinschaft vor einem Jahr beweist, dass das nicht wahr ist. Er hat gelogen. Ich habe also einen Fall – und dann? Ich weiß ja, dass er kein Geld hat. Und ein Rechtsstreit in einem Land, dessen Gesetze ich nicht verstehe, reicht mir.

Warum rege ich mich nicht auf? Ist das Schwäche, ist das Dummheit? Oder Weisheit? Ich denke weniger über Frederics Verhalten nach als über das Resultat. Was, wenn ich den Inspektor gezwungen hätte, den «crawl space» zu kontrollieren? Was, wenn ich gewusst hätte, dass alle Leitungen ersetzt werden müssen? Meine Gewissheit, dass es richtig ist, dieses Haus zu kaufen, wäre zumindest erschüttert gewesen. Ich glaube an Zeichen. Vermutlich wäre ich sogar ganz vom Kauf zurückgetreten. Wenn nicht, hätte ich den Schaden sofort beheben lassen und den Rest des Sommers mit Kostenvoranschlägen und Handwerkern und immer neuen Katastrophen verbracht. Ich hätte nicht im Haus wohnen können, ich hätte diese letzten Wochen mit Cyril, mit Magdalena nicht gehabt.

»Zumindest hättest du Geld gespart», insistiert Katchie.

Sie hat recht. Ich nenne es Lehrgeld. Wenn ich ehrlich bin, habe ich schon sehr viel davon bezahlt, vielleicht zu viel. «Okay, du hast ja recht», sage ich. «In Zukunft passe ich besser auf!»

Und in der Vergangenheit? Was wäre, denke ich weiter, was wäre, wenn ich das Scheitern meiner Ehe genauso sehen würde? Vom Ende, vom Resultat her? Was, wenn ich etwas von dieser Gelassenheit, dieser Großzügigkeit, die ich Frederic gegenüber empfinde, auf meinen Exmann übertragen würde? Seit zwei Jahren kaue ich an seinem Verhalten. Ich verstehe es nicht, ich komme nicht darüber hinweg. Aber was, wenn ich das Ergebnis anschaue?

Ich bin frei. Vielleicht konnte ich mich nur so aus dieser Verbindung lösen, die ebenso unglücklich wie schicksalhaft war. Er hat das Einzige getan, was ich nicht verzeihen kann, das Einzige, was jeden Weg zurück versperrt. Er hat mir eingeredet, ich sei verrückt. Doch gerade das Unverzeihbare hat mich befreit. Zum ersten Mal spüre ich die Möglichkeit, ihm genau dafür dankbar zu sein. Wenn ich Frederic dankbar sein kann, dann wohl auch ihm.

Mit Ziegelsteinen werfen

Sechs Wochen nach meiner Rückkehr in die Schweiz liege ich auf einem Schragen in der Notaufnahme im Kantonsspital Aarau und warte darauf, in eine Röhre geschoben zu werden. «Wir wissen nicht, was los ist», hat die Neurologin gesagt. «Vermutlich nichts. Aber ich möchte einfach sicher sein – Sie brauchen Ihr Hirn schließlich noch.»

Tue ich das? Wie zum Teufel bin ich hier gelandet?

Ein paar Nächte hintereinander habe ich kaum geschlafen. Vorgestern habe ich mich aus meiner Wohnung ausgeschlossen. Ich war mit Sibylle essen, ich hatte ein bisschen zu viel getrunken, aber der leichte Rausch verflog auf der Heimreise. Wie so oft hatte ich den Zug knapp verpasst, am Bahnhof noch einen Kaffee getrunken. Früher habe ich mich über so etwas geärgert. Als wir in die Schweiz kamen, lebte ich nach dem Zugfahrplan, ich wusste immer genau, wann meine Züge fuhren, und schaute lange im Voraus ständig auf die Uhr. Das tue ich nicht mehr. Ich gehe zum Bahnhof, wenn der Abend zu Ende ist, und entweder habe ich einen Zug, oder ich warte. Es war kurz vor Mitternacht, als ich vor meiner Wohnungstür stand, es regnete. Ich wühlte in meiner Tasche, kein Schlüssel, aber das kenne ich ja schon. Komm schon, denke ich, wie ich es oft tue in einer Art informellem Gebet, komm schon, tu mir das nicht an. Nicht jetzt. Ich setze mich auf eine Bank, leere meine ganze Tasche aus – kein Schlüssel. Es ist kurz vor Mitternacht. Cyril ist mit seiner Schulklasse in Polen. Kurz erwäge ich, bei Sara zu klingeln, die beim Bahnhof wohnt, aber sie muss immer so früh aufstehen, sie ist mitten im Sesshin, der intensiven Meditationstrainingswoche. Also gehe ich zum Hotel am Bahnhof, doch das hat kein Zimmer frei. Das nächste Hotel mit Nachtportier befindet sich in Lenzburg. Aber jetzt noch nach Lenzburg fahren? Der Concierge sucht mir die Nummer eines Schlüsselservices heraus, ich rufe an, sie kommen nicht. Es würde zu lange dauern, zu viel kosten, es wäre billiger, in einem Hotel zu übernachten. Vielleicht sollte ich nach Zürich zurückfahren? Doch unterdessen ist der letzte Zug weg. Einen wilden Moment lang überlege ich, draußen zu übernachten, auf einer Parkbank, die Nacht ist mild, doch es regnet. Zurück ins Hotel, der Concierge ruft in Lenzburg an. Ich bin verzweifelt, in Tränen, ich denke mir nichts dabei, dass der Mann mich so sieht. Mit dem Taxi fahre ich nach Lenzburg, sechzig Franken, bekomme das letzte Zimmer, hundertzehn Franken, eine nette Frau besorgt mir eine Zahnbürste. Sie erkennt mich: «Sie sind doch die Frau Moser? Ich lese immer Ihre Kolumnen.»

«Ja», sage ich. «Sehen Sie? Das ist mein Leben! Das alles erfinde ich nicht!»

Am nächsten Morgen habe ich meinen Termin bei der amerikanischen Botschaft in Bern, ich will mein Visum erneuern. Der nächste Schritt auf meinem Weg zurück nach Amerika. Das Dossier liegt in meiner Wohnung. Es besteht immer noch die Chance, dass ich den Schlüssel nicht verloren, sondern in der Wohnung vergessen habe. Wenn ich ins Haus hineinkomme, habe ich noch eine Chance, den Termin wahrzunehmen. Aber das Schuhgeschäft im Parterre öffnet erst um neun, und mein Zug geht um acht. Ich schlafe ein paar Stunden, um fünf Uhr wache ich auf und plötzlich erinnere ich mich: Trudy hat einen Schlüssel! Meine Putzfrau! Und sie wohnt ganz in der Nähe von Lenzburg. Ich stehe auf, ziehe mich an, warte bis sechs Uhr, bevor ich sie anrufe. Ich habe sie geweckt – nur ausnahmsweise, sagt sie, sie steht ja sonst immer früh auf. Sie bringt mir den Schlüssel, fährt mich zum Bahnhof Lenzburg, ich erwische den nächsten Zug nach Aarau, spurte nach Hause – meine Wohnungstür ist unverschlossen, der Schlüssel liegt in der Schale beim Eingang, wo er immer liegt. Ich packe das Dossier ein, haste zurück zum Bahnhof, auf den Zug nach Bern. Pünktlich erreiche ich das amerikanische Konsulat, und mein Visum bekomme ich auch. Trotzdem bin ich vollkommen erledigt. Auch in der nächsten Nacht schlafe ich nur wenige Stunden. Am Donnerstag habe ich mich bei Sara zu einem Zazenkai angemeldet. Meditation, Gespräche, ein bisschen Gartenarbeit von sechs Uhr morgens bis nachmittags um fünf. Danach will ich mich mit Nicki treffen und ins Museum gehen. Am Morgen nutze ich die Gelegenheit zum Daisan, dem persönlichen Gespräch mit der Lehrerin. Ich erzähle Sara die ganze Schlüsselgeschichte. «Du gehst schon immer den schwerstmöglichen Weg», sagt sie. Dann wird sie ungehalten: Warum ich nicht bei ihr geklingelt hätte, fragt sie mich.

«Ich dachte, du … Also, du musst doch immer so früh aufstehen, und du hast so wenig Platz …»

«Na und? Ich habe schließlich eine ganze Yogaschule voller Matten», sagt sie. Und dann: «Wenn du eine Beziehung nicht ab und zu auf die Probe stellst, bleibt immer eine gewisse Distanz.»

Darüber denke ich nach: die Distanz. Diese abgrundtiefe Verzweiflung, die ich verspürte, als ich mitten in der Nacht durch die Gassen der Altstadt irrte. Ich bin ganz allein, niemand hilft mir, ich habe niemanden. Dabei wäre da jemand gewesen, ich hätte nur zu klingeln brauchen. Dass ich außerdem eine Nachbarin habe, die mich zumindest ins Haus hätte lassen können, fällt mir erst jetzt ein, zwei Tage später. Die wäre vermutlich sogar noch wach gewesen. Ich muss lernen, um Hilfe zu bitten, wenn ich wissen will, ob nicht doch jemand da ist für mich. Von alleine wird da nie jemand sein.

Das Wetter ist schön. Ruth kommt hinzu, wir sind jetzt zu dritt, und die Arbeit im Garten macht mir Spaß. Ich werde zum Jäten eingeteilt, was ich gern tue, ich kann in einen Tagtraum versinken. Währenddessen gräbt Sara einen Erdhaufen um. Plötzlich hält sie inne. «Hört ihr was?», fragt sie. Ich stehe auf. Einen Moment lang wird mir schwarz vor den Augen, ich muss mich an einem Pfosten festhalten. Es geht vorüber. Aus dem Erdhaufen erklingt ein leises, hohes Fiepen. Ein Mäusenest? Sara wird blass. «Beinahe hätte ich die Schaufel in die Mäuse gestochen, ein Mäusegemetzel – eine unheimliche Vorstellung.» Ich knie mich wieder hin, mir ist schwindlig. Sara sieht es und schickt mich zur Rosenhecke, ich soll im Stehen arbeiten. Ich werde immer schwächer, wackliger, schließlich setze ich mich auf die Bank, dann lege ich mich ins Gras. Nach einer Stunde habe ich das Gefühl, es gehe mir immer schlechter, und sage, ich wolle nach Hause. Ich will nicht, dass die beiden Frauen mich begleiten, ich schäme mich, weil ich die Wohnung Hals über Kopf verlassen habe, alles liegt herum, die Kleider, Wäsche, schmutziges Geschirr. Sie bestehen darauf mitzukommen. Sara will, dass wir in der Apotheke meinen Blutdruck messen lassen. Ich will das nicht. «Dafür hab ich doch eine App», sage ich und lache, fühle mich ein wenig beschwipst. Wir gehen die Straße entlang, ich schwanke, bin mir dessen aber nicht bewusst. Als wir an der Kreuzung ankommen, hält gerade ein Bus. Sara zieht mich in den Bus hinein, Ruth springt hinterher. Wir fahren zur Arztstation am Bahnhof, entscheidet Sara. Später wird sie mir erzählen, dass im vergangenen Jahr ein Freund sie gefragt habe, ob sie eine gute Dehnübung für ihn wisse, er habe manchmal so seltsame Schmerzen in der Brust und im Arm nach dem Joggen. Zwei Tage später starb er an einem Herzinfarkt. Das sollte ihr nicht noch einmal passieren.

Um mich abzulenken, redet Sara auf dem Weg zur Arztstation die ganze Zeit auf mich ein. Das sei prima, wenn man keinen Hausarzt habe, und die seien so froh, wenn etwas laufe unter der Woche, nur am Wochenende sei Hochbetrieb mit Alkoholvergiftungen und Schlägereien unter Jugendlichen. Als wir hinkommen, ist das Wartezimmer aber besetzt. Eine Empfangsschwester kommt sofort auf uns zu: «Geht es ihr so schlecht?», fragt sie und zeigt auf mich. Ich bin erstaunt. Sieht man mir das an? Sie schickt uns in die Notaufnahme. Dort werde ich auf ein Bett gelegt und bekomme eine Infusion. Die ganze Situation kommt mir surreal vor, ich habe zunehmend Mühe zu erklären, was mit mir los ist. Dabei fühle ich mich eigentlich ganz in Ordnung, sogar angenehm beduselt. Umso wichtiger ist es mir, immer wieder zu betonen, dass ich keine Drogen genommen habe. Je mehr ich es betone, desto seltsamer wirkt es, versucht Sara mir zu klarzumachen, aber sie dringt nicht zu mir durch. Als ich aufs Klo will, bestimmt die Ärztin, dass Sara mich begleiten muss.

«Von wegen Freundschaften testen», sage ich. «Von wegen Distanz!»

Meine Lippen fühlten sich taub an. «Ich kann gar nicht mehr richtig sprechen», sage ich zu Sara, aber die Ärztin hört es und beschließt, mich ins Kantonsspital zu überweisen. Mit der Ambulanz. Jetzt bekomme ich es mit der Angst zu tun. Ich weine: «Ich will nicht ins Spital.» Ruth zieht sich zurück, sie will ins Zendo gehen und Eric informieren. Später erzählte Eric, sie habe sich auch hingelegt und zwei Stunden geschlafen. Die Sanitäter brauchen im Funk die Formulierung «Verdacht auf Stroke».

«Ich kann Englisch», will ich sagen. «Ich weiß, was Stroke heißt: Schlaganfall.» Auch der Sanitäter fragt mich aus, ich sehe ihm an, dass er meine Geschichte verdächtig findet. «Was meditiert ihr denn da?», fragt er. «Und was wächst denn in diesem Garten?» Irgendwie hatte ich gedacht, Zen sei ein bekannter Begriff, ein Gütesiegel fast schon, ich wollte doch nur betonen, wie stressfrei der Vormittag gewesen sei, wie ruhig.

«This practice is not for the faint of heart», hat unsere Roshi einmal gesagt. Und ich sagte, wie aus der Kugel geschossen: «I am not!» Das kam heftig und überzeugt: «Ich bin nicht schwachen Mutes!» Jetzt schon. Jetzt bin ich genau das. Ich fühle mich schwach und immer schwächer, als ob sich meine Knochen und Muskeln aufgelöst hätten und meine Haut mit Watte gefüllt sei. Oder mit weißem Rauch. Einem Arzt nach dem anderen versuche ich diese Symptome zu beschreiben. Sara sagt später, sie würde sich nicht wundern, wenn ihre Zenschule geschlossen würde – das sei keine gute Werbung, was ich da veranstalte. Aber sie bleibt an meiner Seite, vermittelt: «Nein, ich kenne sie, sie spricht sonst nicht so langsam. Nein, normalerweise ergibt das, was sie sagt, einen Sinn.»

«Haben Sie Angst?», fragt die Oberärztin der Neurologie.

«Nein.» Wieder versuche ich zu beschreiben, wie ich mich fühle, komme immer wieder auf den Drogenvergleich zurück, Sara bestätigt: «Es ist, als ob sie vergiftet worden sei.» Ich hätte gequasselt, sagt Sara später. Mehrheitlich sinnfreies

Zeug. Es ist mir nicht bewusst. Ich merke nur, dass ich verlangsamt bin, dass ich schwebe, dass ich keine Kontrolle habe. Die Ärztin hört sich meine Ausführungen mit gerunzelter Stirn an.

«Wenn Sie mich weiterhin so anschauen, dann bekomme ich doch noch Angst», sage ich.

«Das ist die erste normale Reaktion, die Sie zeigen!» Dann fragt sie nach den Pflanzen in dem Garten, untersucht meine Hände nach winzigen Wunden, durch die irgendetwas – was? – in die Haut eindringen könnte.

Ich muss noch einmal aufs Klo, die Ärztin sagt, ich müsse aufstehen. Ihr zeigen, dass ich gerade stehen kann. Ich lehne mich mit den Unterschenkeln am Bettrahmen an, sie merkt es. «Treten Sie einen Schritt vor. Stellen Sie sich auf ein Bein.» Es geht nicht. Der Pfleger bringt den WC-Stuhl herein und tröstet mich, es sei immerhin nicht der Topf. Später steht im Bericht, ich hätte mich die ganze Zeit ganz normal ausdrücken und bewegen können.

Die Oberärztin ordnet ein MRI an. Einfach zur Sicherheit. Die Techniker schneiden alle meine Glücksarmbändchen ab. Sie geben mir Ohrenstöpsel, weil es im Innern der Maschine laut ist. Einen Moment lang erfüllt mich eine abergläubische Angst. Ich habe über Hirntumore geschrieben und über Multiple Sklerose. Vielleicht ist das jetzt die Strafe? Fängt MS nicht auch oft mit Gleichgewichtsstörungen an? Trotz des lauten Hämmerns in dem Apparat und trotz der Angst schlafe ich fast ein, bin wie abwesend. Ich höre die Techniker nicht, die mir das Ende der Untersuchung verkünden. Der Pfleger, der mich wieder abholt, bemerkt das Fehlen meiner bunten Glücksbändchen und ärgert sich, weil er sich den ganzen Nachmittag lang solche Mühe gegeben hat, sie nicht zu zerschneiden.

Unterdessen ist auch Eric gekommen, Saras Freund. Er holt Sandwiches und Schokoriegel für uns alle. Minütlich fühle ich mich besser. Plötzlich will ich unbedingt weg. Ich will nach Hause.

«Du sprichst plötzlich wieder klarer», sagt Sara. Und zum Pfleger: «Sie ist wieder sie selbst.» Ich bin froh, dass jemand da ist, der mich kennt. Der weiß, wie ich bin. Plötzlich bin ich ungeduldig. Die Austrittspapiere lassen auf sich warten. Immer wieder gehe ich auf den Flur hinaus, vielleicht auch nur, um zu beweisen, wie sicher ich mich wieder bewege. Bei einer dieser Exkursionen auf der Suche nach der zuständigen Ärztin treffe ich den Sanitäter an, der mich gefahren hat.

«Und?», fragt er. «Haben sie was gefunden?»

«Nein.»

Wieder fragt er, ob diese Meditation nicht etwas ausgelöst haben könnte, und ich sage wieder: «Nein, wir sitzen nur da und atmen.» Ich höre selber, wie seltsam das klingt. Ich kann ihm ansehen, dass er mich für abgedreht hält, für eine, die selber schuld ist. Schließlich verlagern wir uns alle ins Wartezimmer, weil ich es im Krankenzimmer plötzlich nicht mehr aushalte. Ich bedanke mich beim Pfleger für seine große Hilfe und füge hinzu: «Ich hoffe, ich sehe Sie nie wieder!» Worauf er antwortet: «Wer weiß. Aarau ist klein.»

Schließlich kommt der Assistenzart und entlässt mich. Ohne Befund. Er sagt, es gäbe Vorgänge im Körper, die zu subtil seien, um von den Werkzeugen der Schulmedizin erfasst zu werden. Das klingt ein bisschen besser als: «Sie sind wohl verrückt.» Und er wünscht mir alles Gute.

Ich fühle mich immer noch etwas wacklig und leer. Und unbestimmt schuldbewusst. Was für ein Theater! Was für ein Aufwand! Und wofür? Für nichts.

Zu dritt gehen wir zu Fuß in die Stadt zurück. Kurz vor

dem Bahnhof überholt uns ein Fahrrad. «Was habe ich gesagt? Aarau ist klein!», ruft mir der Fahrer zu.

In der Altstadt ist Messe, alles voller Menschen, Imbissbuden und Gerüche, sofort überfällt mich wieder ein Schwindel. Wir kaufen Thai-Food, dann begleiten mich Sara und Eric bis zu meiner Haustür. Ich erschrecke, als ich die blauen Abfallsäcke am Straßenrand sehe.

«Was ist los?»

«Ich habe vergessen, den Müll von der Schreibstube rauszustellen!»

Ich will gleich noch einmal umkehren, aber Sara und Eric halten mich zurück. Sie finden es vollkommen absurd, aber mich beschäftigt es. Ich will die Dinge erledigt haben, die Wäsche gefaltet, die Abwaschmaschine ausgeräumt, die Abfallsäcke an der Straße. Ich kann mich nicht entspannen, bevor nicht alles erledigt ist. Dass dieses Verhalten ein vollkommen irrationaler Drang ist, das ist mir bewusst, aber es nützt nichts. Und so warte ich im Hauseingang, bis sie um die Ecke verschwunden sind. Dann schleiche ich heimlich zu meiner Schreibwerkstatt zurück und stelle die Abfallsäcke an den Straßenrand. Erst dann kann ich mich entspannen. Ich lege mich aufs Sofa, esse mein Curry aus der Plastikschale, sehe ein bisschen fern, telefoniere.

Zwei private Verabredungen sage ich ab. Berufliche Termine nicht. Wie sollte ich? Mit welcher Begründung? Ich hatte einen – was? Pseudo-Stroke? Mein Körper produziert willkürlich Drogen, die mich für Stunden außer Gefecht setzen? Ich bin verrückt?

Ist es jetzt endlich erwiesen? Der ganze private Kampf, den ich die letzten Jahre geführt habe, all die Therapiestunden, Gespräche, Auseinandersetzungen. Nur um zu lernen, meiner Wahrnehmng zu vertrauen, auf meine innere Stimme zu hören. Nur um zu beweisen, dass ich nicht verrückt bin. In erster Linie mir selber. Diesen Kampf könnte ich jetzt endlich einstellen.

In den letzten Jahren hatte ich viel mit Burn-out-Patienten zu tun, die irgendwann in meiner Schreibwerkstatt landeten. Immer wieder habe ich mich gefragt, ob die Erschöpfung, die ich nicht loswerde, etwas Ähnliches ist. Aber ich liebe meinen Beruf! Er ist das Einzige, was mir geblieben ist! Als ich von einer Hausfrau höre, die klinisch ausgebrannt ist, denke ich zum ersten Mal: Vielleicht können auch Künstler ausbrennen. «Mein Körper hat mir gesagt, dass es so nicht weitergeht» – das habe ich immer wieder gehört. Und heute Nachmittag immer wieder gedacht. Mein Körper macht nicht mehr mit. Aber mein Körper ist kerngesund. Was zum Teufel will er mir mit dieser Episode denn sagen?

Plötzlich fällt mir etwas ein, das die amerikanische Talkmasterin Oprah Winfrey, die sich gerne als spirituelle Führerin aufspielte, immer sagte: «Gott kitzelt dich immer erst mal mit einer Feder, aber wenn du nicht reagierst, muss sie halt früher oder später zu Ziegelsteinen greifen!» War das nun ein solcher Ziegelstein? Aber warum ein Ziegelstein aus Watte? Aus Luft? Ein imaginärer Ziegelstein?

Ich lenke mich mit Fernsehen ab, schaue ein paar Folgen der amerikanischen Familiensaga *Parenthood*. Es ist die einzige Serie, bei der ich den Vorspann nicht überspringe, weil ich das Lied so gerne höre: Bob Dylan mit «Forever young». Das Lied macht mich immer sentimental, ich denke an meine Söhne – und ich denke an mich.

«May you always do for others, and may others do for you …»

Diese Zeile bringt mich jedes Mal zum Weinen. Dass andere für mich da wären!

Doch heute höre ich zum ersten Mal genau hin: Es heißt gar nicht «may others do for you», sondern «let others do for you».

Lass andere für dich da sein.

Handelsreisende in Sachen Buch

Im Zug zwischen Hamburg und Nordhorn, zwischen Nordhorn und Leer. Eine flache Landschaft zieht vor dem Fenster vorbei, windzerzauste Birken, herbstlich eingefärbt, das Lied von Hildegard Knef in meinem Kopf, gesungen von Michael von der Heide. *«Ich brauch Tapetenwechsel, sprach die Birke …»* Ich auch, denke ich. Ich schaue aus dem Fenster, draußen ist alles flach.

Ich denke an all die Lesereisen, die ich schon hinter mir habe. Mein erster Besuch auf der Buchmesse als Schriftstellerin, nicht als Buchhändlerlehrling. Wie nervös ich war, wie beeindruckt. Wie ich automatisch Kaffee holte für die anderen. Auf dem Messestand meines ersten «richtigen» Verlags wurde die Hierarchie dezent, aber unerbittlich von einem roten Sofa bestimmt. Auf dem durften nämlich längst nicht alle Autoren sitzen. Ich schaffte es nur einmal – als ich hochschwanger war. «Ich wollte ein Buch von Ihnen, kein Baby», sagte der damalige Verleger. Und ich: «Das Baby kriegen Sie auch nicht!» Das Buch kriegte er natürlich schon; ich habe noch nie nicht geliefert. Egal unter oder, in diesem Fall, *in* welchen Umständen … Aber ist das wirklich eine Tugend? Ich beginne es zu bezweifeln.

Auf meinen ersten Lesereisen übernachtete ich meist bei den Buchhändlern zu Hause. Später wurde ich mit Businessclass eingeflogen, in Sternehotels untergebracht, streckenweise sogar von einer Verlagsangestellten begleitet und auf Schritt und Tritt betreut.

Ich weiß noch, wie stark mein Heimweh war. Wenn ich unterwegs auf einem Bahnhof einen Zug angezeigt sah, der nach Zürich fuhr, musste ich mich regelrecht zusammenreißen, um nicht in diesen Zug zu steigen und nach Hause zu fahren, sondern weiterzureisen. In die nächste Stadt, zur nächsten Lesung. Wie lange dauerten diese Reisen damals? Ich weiß es nicht mehr. Eine Woche, zehn Tage? Zwei Wochen mit einem freien Wochenende dazwischen? Irgendwann hatte ich Vorwehen, und der Arzt sagte, ich solle ein paar Lesungen absagen. Das habe ich auch getan, obwohl die Veranstalter sehr ungehalten reagierten. Aber wegen des Babys konnte ich es tun. Meinetwegen nicht.

Plötzlich fließen all die Buchmessenbesuche in meiner Erinnerung ineinander, all die Lesereisen. Große Säle, kleine Säle, leere Stühle, zu wenig Stühle ... Buchmesse-Tage, an denen ein Termin den anderen jagt, ich komme nicht dazu, mich hinzusetzen, geschweige denn zu essen. Andere, an denen ich rumstehe und für eine Angestellte des Verlags gehalten werde. Das macht mir nichts aus. «Du bist keine normale Autorin», hieß es immer. «Du bist eine von uns. Kannst du dich mal um Autor soundso kümmern, ich glaube, er ist beleidigt, weil ...» Ich nahm das als Kompliment: Du bist keine normale Autorin.

Glamouröse Momente – und solche, die weniger toll waren. Ein Fernsehteam begleitete mich auf meiner ersten Lesereise nach Deutschland. Doch bereits die erste Station stellte sich als Missverständnis heraus. Die Buchhandlung, die mich eingeladen hatte, verkaufte nur politische Krimis. Und so sehr man sich auch bemühte – in meinen frühen Mordgeschichten war keine politische Botschaft zu finden.

Das ohnehin schon spärliche Publikum reagierte irritiert. Der Kameramann wandte sich an den Redaktor: «Machen wir jetzt etwa eine Loser-Story?»

Eine Suite im Frankfurter Hof, ich bestelle High Tea, der auf einem Wagen hereingerollt wird. Auf einer pyramidenförmigen Tablettkonstruktion türmen sich Fingersandwiches und Scones, genug für mich und Prinz Charles und die beiden Lieblingshunde der Königin von England. Der Zimmerkellner schenkt Tee ein, dann wird er bleich. Mit dem behandschuhten Finger zeigt er auf die Badezimmertür, unter der Schaum hervorquillt. Ich habe vergessen, dass ich ein Bad nehmen wollte.

In der improvisierten Garderobe eines Fernsehsenders sitze ich am Schminktisch zwischen Alice Schwarzer und Uschi Obermaier, die sich über meinen Kopf hinweg unterhalten. Ich halte den Atem an.

Eine Signierstunde, die in meinem Programm stand, der Veranstalter aber vergessen hatte. Als ich auftauchte, kritzelte jemand schnell meinen Namen mit Filzstift auf ein Stück Papier und stellte mir einen Stuhl neben einen höchst erfolgreichen und auch angekündigten Fantasyautor. Die Schlange seiner Fans zog sich um die ganze Standreihe. Weil niemand etwas von mir wollte, riss ich die Schutzhüllen von seinen Büchern, das kann ich blitzschnell, gelernt ist gelernt.

Volle Häuser, leere Häuser, sechs versprengte Menschen auf fünfzig Stühle verteilt, irgendwo im Ruhrgebiet, ich weiß nicht mehr, wo. «Rutscht doch bitte zusammen», bat ich. Und die sechs Zuhörer, die sich vorher nicht gekannt hatten, rutschen so nah zusammen, dass sie mich nach der Veranstaltung alle miteinander zum Essen ausführten.

Letzte Gläser in Hotelbars. Betrunkene Autoren. Irgendwann fällt die letzte Fassade.

«Sag mal, wie alt bist du eigentlich?»

«Fünfzig.»

«Echt? Du siehst keinen Tag älter aus als vierundvierzig, ich schwör's! Sollen wir auf mein Zimmer gehen?»

Been there, done that. Immer öfter denke ich das. Alles schon mal gesehen, alles schon mal erlebt.

Ich schaue aus dem Fenster über das flache Land, das mir grau erscheint. Vielleicht ist auch das ein Preis, den die Erschöpfung fordert: die Welt nicht mehr in Farbe zu sehen. Ich denke an ein Paar, das ich gestern bei der Lesung kennengelernt habe, sie saßen nachher noch mit uns am Tisch. Schweizer, die seit fünf Jahren auf einem Boot leben und in Leer vor Anker liegen. Sie trug einen selbstgestrickten Pullover, der zu ihrem flammenden Haar passte. Sie erzählten, spürbar nicht zum ersten Mal, wie sie zu diesem Entschluss gekommen waren. Ebenso interessant waren die Fragen, die wir ihnen stellten. Ich wollte als Erstes wissen, wie alt ihre Kinder waren: zwanzig und zweiundzwanzig Jahre alt. Mehr oder weniger wie meine. Wie meine im kommenden Jahr. Wenn ich dann losreisen würde? Rieke wollte wissen, wie es mit den Beziehungen steht, den Freunden, dem Gefühl, mit einer Gemeinschaft verbunden zu sein. Und Antje wollte wissen, ob sich ein fremder Ort je wie Heimat anfühlen wird. «Und was ist mit euren Sachen?», fragte ich weiter. «Vermisst ihr nicht eure Sachen?» Alles, was sich im Lauf eines Lebens ansammelt. Und nicht auf ein Boot passt. Auch nicht in ein dreißig Quadratmeter großes Haus. Die Fragen, die wir stellen, drücken aus, was uns beschäftigt. Was uns wichtig ist. Rieke hat die Wanderjahre hinter sich und schätzt heute die Verbundenheit mit ihrem Geburtsort. Und Antje würde so etwas gar nie wollen: wegziehen. Und ich? Die Vorstellung, alles aufzugeben,

Besitz abzuwerfen wie Ballast, reizt mich. Und ich frage mich, wie es sich für meine Kinder anfühlen wird. Wenn ich so weit weg bin. Möglicherweise sind sie ja erleichtert!

Ich drehe den Ring an meinem Finger, eine silberne Katchinafigur mit einer Koralle im Bauch. Katchinas sind Puppen, die Tänzer darstellen, die bestimmte Geister verkörpern. Ein dreimal verschachteltes Symbol also. Der Ring wirkt hier fehl am Platz, in diesem Zug, in dieser Landschaft. Ich habe ihn einer Schweizerin auf dem Flohmarkt in Santa Fe abgekauft. Die mir erzählte, dass sie gerade ihr Haus in Taos aufgegeben habe. Nicht für eine kleinere Wohnung, nicht für ein Boot. Für nichts. Sie hat keinen festen Wohnsitz mehr. Die Entscheidung scheint nicht ganz freiwillig gefallen zu sein, doch sie formuliert das sehr tapfer und unschweizerisch, sie sagt nicht: «Ich bin obdachlos», nein, sie sagt, sie wolle unabhängig sein, jederzeit wegkönnen, ihren Sohn besuchen, der in der Schweiz lebt, dort verheiratet ist. Gerade war sie länger in der Schweiz, hat ihren Vater gepflegt, bis er starb. Aber dort bleiben, nein, das könne sie nicht. Jetzt ist sie wieder in New Mexico, verkauft ihren Schmuck auf Flohmärkten, schläft mal bei den Freunden, mal hütet sie leerstehende Häuser. Der Katchinaring ist nicht in ihrer Auslage, sie trägt ihn am Mittelfinger.

«Den finde ich schön», sage ich.

Sie nimmt ihn ab und reicht ihn mir. «Den hab ich durch all die Veränderungen der letzten paar Jahre getragen», sagt sie. «Nimm ihn, der passt zu dir!»

Ich drehe den Ring an meinem Finger und schaue in die graue Landschaft hinaus. Der Ring passt zu mir, aber passt er auch zu meinem Leben? Passe ich noch zu meinem Leben?

Abends um sechs komme ich endlich wieder in Aarau an, nach einer fast zwölfstündigen Reise mit dem Zug. Ich bin nudelfertig, rufe mein Sohn an: «Ich bringe uns was vom Chinesen am Bahnhof, ich mag nicht kochen.» Ihm ist das recht. Chicken Kung Pao und Frühlingsrollen, alles sehr gesund. Zu Hause mache ich drei Maschinenladungen Wäsche. Eigentlich wollte ich noch mein einziges langes Sommerkleid bügeln, aber ich bin zu müde.

Am nächsten Morgen beginnt ein zweitägiger Kurs. Ich stehe um sieben Uhr auf, bügle mein Kleid, probiere sicherheitshalber, ob es überhaupt noch passt. Der Kurs dauert bis fünf, danach habe ich eine halbe Stunde Zeit, um mich in «festliche Abendgarderobe» zu stürzen, zu schminken, zu kämmen. Seit Wochen denke ich darüber nach, wie ich das machen soll und was ich überhaupt anziehen soll. Pie, die einzige meiner Freundinnen, die sich in so etwas auskennt, meinte: «Wenn in einer Einladung ‹festliche Abendgarderobe› steht, dann bedeutet es, dass man mit dem Wagen abgeholt wird!» Und nicht, dass man in dieser Abendgarderobe durch eisigen Wind und hässliches Wetter hetzt. Die Rocksäume im Matsch nachschleift. Daher kommt übrigens das Wort Schlampe. Es bezeichnete erst nur die Rocksäume, irgendwann deren Trägerin. Ein gutes Beispiel dafür, dass man es, egal, was man tut, niemandem recht machen kann: Eine Schlampe ist sowohl eine Frau, die ihre Rocksäume achtlos im Straßenschmutz schleifen lässt, eine unordentliche, schmuddelige Person, als auch eine, die die Rocksäume allzu gerne hochhebt und ihre Beine zeigt, eine sexuell freizügige Frau. Natürlich ist beides nicht recht – und macht doch solchen Spaß!

Spaß. Genau. Wenn eine Einladung, auf der «festliche Abendgarderobe» steht, nur Stress erzeugt und keinen Spaß, dann macht man definitiv etwas falsch.

Das weiß ich, und ich kann es doch nicht ändern. Ich hetze nach Hause, ziehe mich um, schminke mich flüchtig. Pullover über das Kleid, Mantel, Schal, dicke Winterstiefel. Hohe Hacken in die Handtasche, die Einladung. Bis ich am Bahnhof bin, ist mein Haar wieder nass und meine Wimperntusche verschmiert, meine Nase läuft. Ich fahre mit dem Zug nach Baden, das dauert eine weitere halbe Stunde. Dann mit dem Taxi zum Festzelt. Irgendein Preis, für den ich nominiert war, aber nicht gewonnen habe, wird verliehen, ich muss trotzdem anwesend sein, wenigstens stand das so im Vertrag. Den Auftritt auf dem roten Teppich habe ich allerdings verpasst, und unsere Plätze am Tisch sind bereits vergeben worden. Wir schauen uns an, mein Freund Nikolaus, der sich als Begleiter zur Verfügung gestellt hat, und ich. Jetzt könnten wir auch gehen, denken wir gleichzeitig. Wir haben uns lange nicht gesehen. Warum sitzen wir nicht in einer Pizzeria oder an seinem oder meinem Küchentisch? Doch da werden die Stühle schon gerückt, die abgegessenen Teller weggeräumt, Wein wird eingeschenkt. Wir versuchen uns in den kurzen Pausen über den Tisch hinweg zu unterhalten. Nikolaus lässt sich nichts anmerken, aber in seinem Blick spiegelt sich mein Unwohlsein: Was zum Teufel tun wir hier? Gute Frage.

Was zum Teufel tue ich hier?

Letzte Woche habe ich einen Film über John Irving gesehen, «John und wie er die Welt sieht». Pie hat mir die DVD mit den Worten «So stell ich mir deinen nächsten Mann vor» in die Hand gedrückt. Und tatsächlich hab ich mich sofort verliebt. Alter Mann mit Springseil! Hände im Pizzateig! Umwerfend. Aber solche Männer, auch das wird im Film bald klar, brauchen strenge Frauen. Und so habe ich mich wieder auf das Eigentliche konzentriert, aufs Schreiben.

Im Filmporträt kommt das Wichtigste gleich zu Beginn, der Schriftsteller quält sich auf einer weichen Matte mit Bauchmuskelübungen, stemmt Hanteln, schwitzt. Im Hintergrund trainieren jugendliche Ringer in unvorteilhaften Gewändern die immer gleichen Griffe. Wieder und wieder und wieder. Im jahrelangen harten Training, sagt Irving, habe er die Mischung aus Hingabe und Disziplin entwickelt, die er als Autor langer Romane, die wieder und wieder umgeschrieben werden, brauche. «Der Schreibprozess ähnelt sehr dem Training beim Sport. Keiner schaut dir zu, keiner applaudiert, es gibt kein Gewinnen oder Verlieren. Ausschließlich Wiederholung. Eine Art Drill. Und damit verbringst du den Großteil deines Lebens, ob Künstler oder Sportler.» Und bevor man dazu kommt anzunehmen, die Lesereise, die im Film gezeigt wird, die neunhundert Zuschauer, die Fernsehkameras, der Applaus seien die Belohnung für jahrelange Hingabe und Disziplin, stellt Irving klar: Es ist genau umgekehrt. Der Auftritt in der Öffentlichkeit ist der Preis, den er für die langen, ungestörten Monate am Schreibtisch bezahlt. «Ich tue das für meinen Verleger.»

Die Belohnung findet er am Schreibtisch, in der Einsamkeit, der Wiederholung. «Die Vorstellung, dass Wiederholung – irgendein Detail immer und immer wieder zu tun – nicht langweilig ist, sondern wesentlich …» Doch was am Schreibtisch wirklich passiert, ist schwer zu beschreiben und noch schwerer in einem Film zu zeigen. «Es geschieht so langsam! Das Publikum würde einschlafen dabei, einem Autor beim Schreiben zuzusehen!» Ich weiß genau, was er meint. Und genau danach sehne ich mich, nach dieser Langsamkeit, dieser ungestörten Schreibzeit.

Jetzt wird der nächste Preisträger vorgestellt, die Teller sind abgeräumt. Es gibt noch Dessert. «Lass uns gehen», sage ich zu Nikolaus. Er springt sofort auf.

Trotz dem verfrühten Abgang ist es kurz vor Mitternacht, als ich endlich wieder zu Hause bin. Ich esse ein Käsebrot, trinke noch ein Glas Wein, im Stehen. Im dunklen Küchenfenster sehe ich mein Spiegelbild. Ich trage immer noch den Mantel über meiner festlichen Abendgarderobe, die in Wirklichkeit ein Sommerkleid ist.

Ich stelle das Glas ab und schüttle den Kopf. «Was zum Teufel soll das?», frage ich die Gestalt in der Fensterscheibe. «Was willst du eigentlich?»

Die Antwort zwingt mich in die Knie: Ich will nicht mehr Schriftstellerin sein!

Dabei wollte ich nie etwas anderes. Noch bevor ich wusste, dass ich einmal Kinder haben wollte, wusste ich das: dass ich Schriftstellerin sein will. Das ist die einzige Gewissheit, die mir immer geblieben ist. Durch alle Veränderungen der letzten Jahre hindurch war das mein letzter Halt. Und nun gibt dieser Halt nach. Der Boden öffnet sich unter mir, und ich falle. Ich falle in einen tiefen Schacht, ich kann mich nirgends mehr festhalten. Drei Tage lang sitze ich auf dem Boden dieses Schachts. Es ist dunkel und kalt und feucht da. Ich bin ganz allein. Ich ziehe die Knie an und schlinge meine Arme um sie.

Was bleibt denn noch? Ich habe keine Familie mehr. Ich habe keinen Mann mehr. Meine Kinder sind fast erwachsen. Ich habe kein Zuhause mehr. Was bleibt, wenn ich meine Arbeit auch noch verliere? Wenn ich sie nicht mehr so ausüben kann, wie es heute gefordert wird?

Plötzlich muss ich an meine erste Klassenzusammenkunft denken, die einzige, die ich je besucht habe. Ich war sehr froh, Kindheit und Jugend möglichst schnell hinter mir zu lassen und habe so wenig wie möglich zurückgeschaut. Ich glaube, es war fünfzehn Jahre nach der Primarschule, ich war also ungefähr neunundzwanzig. Ich hatte bereits zwei oder drei Bücher veröffentlicht und war auch schon mal «im Fernsehen». Trotzdem wollte ich nicht hingehen, zu schlecht waren meine Erinnerungen an diese Zeit. Eine Freundin, die einzige, die ich damals hatte, sagte: «Du musst! Exorzismus und so!»

Also ging ich hin, und es war gar nicht schlimm. Was hatte ich erwartet – dass ich an der Tür abgewiesen würde? Dass man mich auslacht? Irgendwann saß ich mit ein paar Frauen an einem Tisch, und das Gespräch drehte sich um «wie hieß sie noch gleich, die mit den krummen Beinen?»

«… die so komisch rannte …!»

Wieher, kicher, gröl. Mir wurde kalt. «Das war ich», sagte ich. Kurz schweiften die Blicke über den Tisch und zu mir. «Nein, ach Quatsch, das warst nicht du! Du warst immer schon cool! Nein, die, weißt du, mit dem deutschen Vater … und der Mutter, die immer in der Schule rumzeterte.»

«Das war ich.»

«Jetzt hör schon auf, nicht du – das war die … wie hieß sie denn gleich … Wisst ihr noch, sie hat am Examen geheult, bloß weil sie eine einzige Note unter sechs im Zeugnis hatte …»

«… weil mein Vater direkt vom Arzt kam, weil er herzkrank war.» Es hatte keinen Sinn. Ich konnte nicht die Außenseiterin sein, sie konnten mich nicht ausgelacht haben. Ich war schließlich «im Fernsehen», ich war berühmt. Berühmt zu sein hat mich in den Augen meiner früheren Widersacherinnen rehabilitiert – aber nicht in meinen eigenen.

Berühmt zu sein hat nichts verändert, nicht dort, wo es zählt, in mir drin.

Stattdessen habe ich mich neu erfunden. Ich habe eine Welt geschaffen, in der die Außenseiter regieren. Dort, in meinem Schreiben, rehabilitiere ich mich. Das Schreiben rettet mich. Nicht das Geschriebenhaben. Und schon gar nicht das Schriftstellerinsein. Andere mag gerade das glücklich machen, mich nicht. John übrigens auch nicht.

Nach drei Tagen wird es plötzlich wieder hell. Die Angst weicht einer knochentiefen Erleichterung. Was bleibt von mir übrig, wenn ich nicht mehr Mutter bin, nicht mehr Ehefrau, nicht mehr Schriftstellerin? Nichts.

Nur ich.

Das ist genug.

Ich stehe auf und schaue hoch: Der Rand des Schachts reicht mir nur noch bis zur Hüfte. Ganz leicht klettere ich wieder hinaus.

Der Vorsorgeberater

Mein Steuerberater schickt mich zur Vorsorgeberatung. «Ich möchte einfach mal wissen, ob du genügend abgesichert bist. Für die Zukunft.» Das möchte ich auch gerne wissen. Ich sammle alle meine Dokumente zusammen und fahre nach Bern.

Immer wieder fällt mir die Voodoo-Priesterin Madame Denise ein, die gesagt hat, mein großes Thema sei der Rückzug. Ich wolle mich zur Ruhe setzen. Damals wischte ich diesen Vorschlag beiseite: Da täuscht sie sich aber, dachte ich – ich lege erst richtig los! Jetzt denke ich immer öfter: Sie hat recht. Ich brauche eine *Posada*, einen Ort, an dem ich mich ausruhen kann. Ist Santa Fe dieser Ort? Ist Santa Fe der Ort, den sie gemeint hat und den sie nicht benennen konnte? Es gibt schließlich auch viele andere, die sich dort zur Ruhe setzen. Die sich dorthin zurückziehen. Aber wie soll ich das anstellen? Mein Plan ist, jeweils ein halbes Jahr in der Schweiz zu verbringen und währenddessen genügend Geld für das ganze Jahr zu verdienen. Aber beim bloßen Gedanken daran möchte ich mich auf den Boden legen und nie mehr aufstehen. Irgendwoher ahne ich, dass ich das nicht mehr kann.

Ich bin nervös wie ein Kind, das zur Schuldirektorin zitiert wird. Ich bin ziemlich sicher, alles falsch gemacht zu haben. Doch der Berater schaut sich meine Unterlagen genau an und meint dann zu meinem großen Erstaunen, ich hätte alles richtig gemacht. Ich habe sogar eine Verdienstausfallversicherung! Das wusste ich gar nicht mehr. Irgendwann in den letzten Jahren hat mein Therapeut zu mir gesagt: «In Deutschland würden wir Sie jetzt erst einmal zur Kur schicken.» Und ich: «Tja, ich lebe aber nicht in Deutschland.» Dabei hätte ich damals zum Arzt gehen und mich krankschreiben lassen können! Ich hätte mich in eine Klinik zurückziehen, hinter weißen Mauern und grünen Hecken wieder zu mir finden, mich mal richtig erholen können! Wie viele Leute, die ich gut oder ein wenig kenne, mit denen ich zusammenarbeite, deren Gespräche ich zufällig mithöre. Und die ich immer um diese Möglichkeit beneidet habe. Dabei stand sie mir die ganze Zeit ebenfalls offen! Warum bloß habe ich mich nicht an diese Versicherung erinnert?

Jetzt weiß ich auch wieder, wie widerwillig ich sie damals abgeschlossen habe. Man musste sie mir regelrecht aufdrängen. «Wovon soll denn Ihre Familie leben, wenn Sie mal ausfallen?»

»Ich kann doch auch im Spitalbett schreiben», habe ich trotzig gesagt.

«Nicht wenn Ihr Kopf betroffen ist …»

«Also gut.»

Unterschrieben und vergessen. Als ich die Versicherung brauchte, für mich, nicht für meine Familie, wusste ich nicht mehr, dass ich sie hatte.

«Sehen Sie denn eine Möglichkeit, dass ich mal weniger arbeite?», frage ich.

Der Vorsorgeberater schaut noch mal in die Unterlagen. Ich habe den Verdacht, dass er die Antwort schon vorher kennt.

«Keine Chance», sagt er sanft. «Solange Sie in der Schweiz leben, müssen Sie genau so weiterarbeiten wie bisher. Sie könnten sich natürlich eine günstigere Wohnung nehmen, aber das macht den Braten nicht feiß …» Auch wenn ich alle Säulen angelegt habe, die es anzulegen gibt, sind sie in den wenigen Jahren, in denen ich angestellt war, nicht groß genug geworden, um mein Leben abzustützen. Das hat schon die Scheidungsrichterin beunruhigt. «Sind Sie sicher, dass Sie zurechtkommen werden?», hat sie mich gefragt. Ich war beinahe beleidigt. «Natürlich», sagte ich. «Ich komme immer zurecht!»

«Wenn Sie auswandern», fährt der Berater fort, «dann können Sie sich natürlich alles auszahlen lassen … Aber das reicht Ihnen dann auch nur …» Wieder blättert er in den Unterlagen, die er unterdessen auswendig kennen muss. «Ein Jahr, vielleicht zwei.» Entschuldigend breitet er die Arme aus. Dabei kann er ja nichts dafür. Die Entscheidungen, die ich im Verlauf meines Lebens getroffen habe, sind meine eigenen gewesen. Dumm, idealistisch, blauäugig vielleicht – aber meine eigenen.

Ich mache einen auf tapfer. «Wer weiß, vielleicht wird mein nächstes Buch verfilmt oder übersetzt oder wird ein Bestseller ...» Diese Möglichkeit besteht schließlich immer. Klar.

Aber der Vorsorgeberater hält sich nicht mit Möglichkeiten auf. «Und sonst, haben Sie nicht irgendwelche Anlagen, Aktien, Immobilien?»

«Ja, schon ...» Schlimmer kann es ja nicht werden, und so erzähle ich ihm von dem Haus in San Francisco, das theoretisch auch eine Altersvorsorge ist, das ich aber auf keinen Fall verkaufen will. «Es ist das einzige Zuhause, das meine Söhne noch haben», sage ich. «Auch wenn sie gar nicht vorhaben, je wieder dort zu leben. Aber das kann sich ja ändern. Es ist auch das Einzige, was ich ihnen eines Tages hinterlassen kann.»

Wenn ich es denn behalten darf: In ein paar Wochen fliege ich schon wieder nach San Francisco, wo mir der Prozess gemacht wird. Die amerikanischen Anwaltsserien, die ich mir, seit ich den Gerichtstermin kenne, mit beinahe religiösem Eifer anschaue, tragen nicht gerade dazu bei, mein Vertrauen in das amerikanische Rechtssystem zu stärken. Das erzähle ich ihm aber nicht. Ich will jetzt nicht doch noch, und außerdem vom Fachmann, hören, dass ich alles falsch gemacht habe. Nur eben ist der ursprüngliche Plan, eines Tages nach San Francisco zurückzukehren, unter anderem daran gescheitert, dass ich mir die Stadt nicht mehr leisten kann. Und daran, dass ich das Haus nicht möbliert und nicht monateweise vermieten kann. «Dafür habe ich jetzt eine Casita in Santa Fe, dort ist das theoretisch möglich», sage ich trotzig. Und warte auf die professionelle Schelte. Doch sie kommt nicht.

«Hmm. Können Sie das Haus in San Francisco denn langfristig vermieten?»

«Ja, das ist möglich.» Unterdessen habe ich über meinen Anwalt auch eine Agentur gefunden, die das übernimmt. Die den Vertrag aufsetzt, die Mieter aussucht und dafür sorgt, dass sie auch wieder ausziehen und keine absurden Klagen einreichen. Die hohen Lebenshaltungskosten in San Francisco bedeuten, dass auch die Mieten teuer sind.

«Was können Sie denn da ungefähr erwarten? Was zahlen Sie dort an Steuern, wie viel Prozent bekommt die Agentur?» Er tippt die Zahlen in seinen Computer. «Und das andere Haus, sagten Sie, ist in Santa Fe – das ist New Mexico, nicht?» Wieder tippt er etwas ein. Offenbar gibt es eine Internetseite, auf der man die durchschnittlichen Lebenshaltungskosten an jedem beliebigen Ort der Welt nachschlagen kann.

Jetzt lächelt er zum ersten Mal. «Da haben Sie die Lösung! In Santa Fe können Sie von den Mieteinnahmen leben, die Sie in San Francisco erzielen! Zwar nur knapp, aber es geht. Voilà!»

Voilà! Voilà? Ich habe eine Lösung? Das ist noch nicht alles.

«Und da das Haus nicht an Wert verliert, sind Ihre Söhne damit eines Tages auch versorgt!»

Re-voilà! Alle Fragen beantwortet, alle Probleme gelöst, es gibt nichts mehr zu tun. Ich verlasse das Büro wie unter Schock. Die absurdeste, impulsivste und unvernünftigste Entscheidung meines Lebens stellt sich im Nachhinein als die beste überhaupt heraus. Ich habe mich selber gerettet! Ich kann aussteigen? Ich bin frei!

Noch im Zug rufe ich Pie an. Wider Erwarten reagiert sie empört. «Aber sag mal, wenn du von der Miete in San Francisco leben kannst, warum tust du es dann nicht? Warum hat dir das bisher noch niemand gesagt? Seit Jahren rackerst du dich ab, und dabei hättest du die ganze Zeit einen Ausweg gehabt?»

»Ja, nein, eben nicht! Es geht erst jetzt und nur so! Erst die Casita macht es möglich.» Weder in der Schweiz noch in San Francisco würde das Geld von der Miete zum Leben reichen. In Santa Fe aber schon.

Vorausgesetzt, ich kann das Haus in San Francisco behalten, natürlich. Und vorausgesetzt, dass ich alles hier aufgebe. Meine tolle Wohnung in Aarau, meine geliebte Schreibwerkstatt und auch den Plan B, ein Zimmer in der Wohnung einer Freundin, ein Pied-à-terre in Zürich. Und damit alles, was sich in meiner Wohnung und in der Schreibwerkstatt angesammelt hat.

Als ich nach Hause komme, schreite ich meine Wohnung ab wie ein Betreibungsbeamter. Ich schaue mir alles genau an. Die Möbel, die Bilder, die Bücherregale. Die Stiefelparade im Eingang, die vollen Kleiderschränke, die Teppiche, die Lampenschirme, die Kerzenständer, die Fotoalben, den Schmuck. Die Pflanzen auf der Terrasse, die bunten Gartenstühle, meine einzigen Designermöbel – zugleich die einzigen, die ich aus dem Traumhaus mitgenommen habe. So viele Dinge, so viele Erinnerungen, so viele Leben.

Da ist der schwere Sekretär aus Kirschholz, den ich von meinem Großvater geerbt habe. Er starb, als ich neun Jahre alt war. Das wertvolle Möbel hat viel erlebt und viel gelitten. Als Kind bastelte ich auf der Schreibplatte, die bald lehmverschmiert und mit Farbe bekleckert war. Das massive Möbelstück war der Albtraum jedes Zügelmanns. Bevor ich mir solche leisten konnte, versicherten sich meine Freunde jeweils: «Kommt das Teil wieder mit? Weil dann hab ich am Samstag schon etwas anderes vor ...»

Den Schlüssel für das Geheimfach hatte ich schon früh verloren. Jahrelang stellte ich mir vor, was ich als Kind wohl darin versteckt habe. Ein Tagebuch? Gestohlene Süßigkeiten? Beim soundsovielten Umzug brach ein Freund das Fach mit einer Büroklammer auf und zog zur großen Erheiterung der anderen und zu meiner Verlegenheit ein Foto von Bernhard Russi hervor, komplett mit Herzchen und Blümchen verziert.

In jedem WG-Zimmer, in jedem Traumhaus auf jedem Kontinent, überall, wo ich je gewohnt habe, stand er, der Sekretär. In der Casita ist kein Platz für ihn. Und auch nicht für den wunderschönen alten Bauernschrank, der schon im Kinderzimmer meiner Mutter stand und dann jahrelang bei meinem Bruder. Und der jetzt auf dem schrägen Fußboden meiner Altstadtwohnung steht, schief gegen die dicke Wand gelehnt wie ein alter Mann, der schon sehr müde ist. Ich bringe es nicht übers Herz, ihm zu sagen: «Tut mir leid, deine Reise ist noch nicht zu Ende, du musst noch mal aufstehen, noch mal umziehen.»

Nichts werde ich mitnehmen können als ein paar Kleider, Stiefel, Bücher. Die Bücher! Als gelernte Buchhändlerin, als lebenslanger Book-Nerd habe ich es noch nie über mich gebracht, ein Buch wegzuwerfen. Auch wenn ich es nie wieder lesen werde. So wie die Klassiker der russischen Literatur in DDR-Ausgaben, die ich damals wahnsinnig billig über meinen Lehrbetrieb bestellen konnte. Haben die nicht historischen Wert?

Und das, was von der französischsprachigen Bibliothek meines Vaters übrig geblieben ist, der, soweit ich mich erinnere, gar nicht Französisch las. Unaufgeschnittene Seiten aus vergilbtem Papier, zum Teil schon zerfallend. Originalausgaben aus den sechziger Jahren, nie gelesen. Unterdessen hat sich mein Französisch derart verschlechtert, dass ich es wohl nie tun werde. Seit fast zehn Jahren in einer Kiste im Keller das komplette Programm der ersten Frauenkrimireihe, die auf Deutsch veröffentlicht wurde. Die habe ich alle gelesen, ob sie mir gefielen oder nicht. Ich war so glücklich, dass es sie gab. Vermutlich haben sie heute Sammlerwert. Wenn sie nicht verschimmelt sind.

Die Selbsthilferatgeber, die meine private Biographie als eine Reihe von Krisen erzählen: *M.o.M. Mutter ohne Mann. Mamas neuer Freund. Krisengebiet Patchworkfamilie. Jedes Kind kann schlafen. Was ist bloß mit Mama los? Spielend scheitern. Beim nächsten Mann wird alles anders.*

Was brauche ich wirklich? Was bedeutet mir wirklich etwas? Welche Erinnerungen sind untrennbar mit Gegenständen verbunden, welche kann ich davon lösen und in meinem Herzen verwahren? Das sind Überlegungen, die ich von meiner Mutter kenne, die aus einem großen Haus in eine kleine Wohnung umgezogen ist, die einer Freundin gehörte, die nun im Altersheim lebt.

Von ihnen beiden habe ich Dinge übernommen, Dinge, für die sie keinen Platz mehr hatten. Auch von Fremden: In meinem Kurslokal hängt ein selbstgenähter Wandbehang mit bunten Taschen, die voller Postkarten aus den siebziger und achtziger Jahren stecken. Von Leuten, die ich nicht kenne, an eine Frau, die ich auch nicht kenne und die nun gar nicht mehr lebt. Die Karten, die sie irgendwann erhalten hat, werden nun für Schreibübungen gebraucht.

«Es ist schön», sagen sie, «zu wissen, dass die Dinge noch gebraucht werden. Dass sie Sinn haben, eine Aufgabe erfüllen.» Tun sie das wirklich? Wer wird sich meiner Möbel annehmen, meines Gerümpels, meiner Erinnerungen? Mein Sohn reserviert sich schon mal die Beizenstühle, auf denen wir auf zwei Kontinenten gesessen, gegessen und geredet haben und auf denen heute meine Kursteilnehmer ihre Geschichten schreiben. Seiner Freundin packe ich heute schon das Teeservice meiner Großmutter ein.

Bin ich nicht zu jung, um alles aufzugeben? Andererseits zeigt gerade die Erfahrung der letzten Jahre, dass ich ohnehin nichts festhalten kann. Warum also nicht gleich loslassen, freiwillig, bewusst? Unterdessen fällt mir das Abschiednehmen leicht. Die Vorstellung, mich von meinen Besitztümern zu trennen, schreckt mich im Vergleich zu allem anderen, was ich verloren habe, herzlich wenig. Im Gegenteil, sie beflügelt mich.

Ich bin keineswegs allein. Seit ich angefangen habe, darüber nachzudenken, begegnet er mir überall: der Trend zum Winzighaus. Es gibt Filme über das Leben in kleinen Häusern; es gibt Bücher, Zeitschriften, Webseiten und Blogs. Die Internetgemeinde, die Tipps und Tricks sammelt, wächst stetig. Viele wurden zunächst von den Umständen gezwungen, ihren Wohnraum und ihren Besitz zu reduzieren. Die Krise, Arbeitslosigkeit, gesundheitliche Gründe. Burn-out, die Volksseuche, hat mehr als einen Workaholic zum Winzighausbewohner gemacht. Fasziniert klicke ich mich durch Bilder von Geräteschupppen, Wohnwagen, Baumhäusern. Ich studiere das Design von Klappbetten, die in der Wand verschwinden, von Hochbetten, unter denen ein ganzes Arbeitszimmer Platz hat. Von Schiebetüren und versenkbaren Küchentheken.

Das erinnert mich an einen Abend in Rotterdam, Lino absolvierte dort ein Auslandssemester. Er studierte bei einem genialen Wahnsinnigen, der unter anderem die ganze holländische Schweinezucht wie in einem Parkhaus auf Etagen übereinanderstapeln will, um Platz zu sparen. Er gab seinen Studenten die Aufgabe, eine Wohnung zu entwerfen, die sich den Bedürfnissen der Bewohner anpasst – und zwar stündlich neu. Mein Sohn befasste sich mit der Frage, wie eine Wohnung aussehen könnte, deren Zimmer flexibel wären. Wenn man morgens aufsteht, weichen die Schlafzimmerwände ganz an den Bettrand zurück und vergrößern so die Küche. Oder das Arbeitszimmer. Ich weiß noch, wie wir an diesem WG-Tisch in Rotterdam saßen und die Pläne studierten. Und wie ich pingelig anmerkte, es sei kein Putzschrank vorgesehen, keine Waschmaschine. Damals war ich noch kein Workaholic, dafür von meinen Haushaltspflichten überfordert. Ich weiß auch noch genau, wie alt ich mich fühlte, als ich die sich überschneidenden Wohnbereiche studierte. Lino zeigte mir ein Diagramm, das aufzeigt, was in einer Wohnung getan wird. Der absolut größte Bereich gilt der Freizeit. Im Wohnzimmer, von Studenten entworfen, wird gelacht und getanzt, gespielt, Musik gehört, gelesen und sich ausgeruht. In der Küche wird gekocht und gegessen.

«Und abgewaschen?», frage ich. Und schäme mich gleich für die Frage. Auch sie macht mich alt.

Achselzuckend verweist er mich auf ein kleingedrucktes «Unterhalt», das alle Varianten des Putzens mit einem Wort abdeckt. Einer Tätigkeit, für die mir, die ich eindeutig nie zur Hausfrau des Jahres gewählt würde, mehr Begriffe einfallen als für den Bereich der Freizeitgestaltung. Dabei ist der wahnsinnige Professor, der die Idee von den flexiblen Zimmern hatte, älter als ich. Es hat nichts mit Jahren zu tun. Jugend zeichnet sich durch Beweglichkeit aus, nicht nur körperlich, sondern mindestens so sehr im Kopf. Die Tage, an denen ich mich älter fühle, als ich bin, sind die Tage, an denen ich denke, es sei nichts Neues mehr möglich. Die Jugend kann noch im Kreis herum denken. «Der Kopf ist rund, damit das Denken die Richtung ändern kann» – dieser Satz stammt auch von einem alten Mann: Francis Picabia.

Altern Frauen schneller als Männer? Zumindest im Kopf? Wenn ja, dann liegt es an diesen kiloschweren imaginären Pflichtenheften, die wir mit uns herumtragen. Meine Obsession, das Traumhaus instand zu halten, hat niemanden glücklich gemacht, am wenigsten mich. Heute stehen andere Dinge in meinem Heft, die vermutlich genauso wenig sinnvoll sind.

Ich fragte mich damals, ich frage mich heute: Was brauche ich wirklich? Einen Platz, um mich hängen zu lassen. Ein Zimmer für mich allein.

So nehme ich innerlich schon Abschied und erfreue mich gleichzeitig täglich an meinen Dingen, an meinen Pflanzen, meinen Bildern und Büchern, an meiner beachtlichen Auswahl an Cowboystiefeln. Vielleicht mehr als früher.

Die Gartenmöbel könnte ich doch wenigstens mitnehmen, denke ich, als ich auf der Terrasse sitze. Die satten Farben würden sich auch im Licht von Santa Fe gut machen. Dann erinnere ich mich daran, was ein Container kostet, und verwerfe den Gedanken. Die Gartenmöbel werden sich auch anderswo gut machen.

In einem Container kann man übrigens auch wohnen. Nicht nur unfreiwillig. Das hab ich in einem *Tiny-Homes*-Forum gesehen.

Das Angebot

Am selben Abend, an dem ich mit einer fixfertigen Lösung für alles von der Vorsorgeberatung nach Hause komme, schreibt mir George «nicht-Natschler» Nüscheler, der Immobilienagent aus Santa Fe. Er habe einen «sehr motivierten» Käufer für mein Haus, der bereit sei, vierhundertfünfzigtausend Dollar dafür zu bezahlen, und zwar bar auf die Hand. «Ich meine mich zu erinnern», schreibt er vorsichtig, «dass du nach der ganzen Sache mit den Wasserleitungen erst mal die Nase voll hattest von Santa Fe und von dem Haus.» Wie kommt er denn darauf?, denke ich und lese weiter: «Wenn ich richtig rechne, würdest du nach Abzug der Steuern und der Notariatskosten gerade eben rauskommen, vielleicht sogar ein paar tausend Dollar übrig haben.»

Ich klappe den Laptop zu und schaue anklagend an die Zimmerdecke: Was soll denn das jetzt?, frage ich. Wen, das weiß ich auch nicht so genau. Warum gerade heute? Es war doch alles klar. Alles entschieden. Alles gelöst. Jetzt habe ich plötzlich eine zweite Lösung. Ich könnte so tun, als wäre nichts gewesen. «Was? Ein Haus in Santa Fe?», könnte ich sagen. «Wovon redet ihr? Ach so, *das* Haus in Santa Fe ...» Ich wäre nicht mehr die schlechte Tochter, die ihre Mutter im Stich lässt, ich wäre keine Rabenmutter.

»Dass sich der Vater eine neue Familie zulegt, ist ganz normal», sagte neulich eine Freundin zu mir. «Aber dass die Mutter auswandert – das nicht. Das ist nicht normal.»

Ich könnte doch auch das Geld aus San Francisco für meine Miete in Aarau verwenden, ich könnte auch hier weniger arbeiten, mehr spazieren gehen? Ich könnte in der schönen Wohnung bleiben, die Blumen auf der Terrasse auch nächstes Jahr noch blühen sehen, oder übernächstes.

Ist es ein Zeichen? Bekomme ich hier die unverdiente Chance, meinen Fehler wettzumachen? Oder ist es ein Test? Was ist die richtige Entscheidung? Ich habe keine Ahnung. Was sagt meine innere Stimme? Ich höre sie nicht.

Dafür höre ich plötzlich wieder die Stimme von Randa, von vor bald zwanzig Jahren: «Was willst *du*?»

Nicht meine Mutter. Nicht meine Freundinnen und Freunde. Nicht mein Verleger, nicht meine Leser, nicht mein Steuerberater. Nicht meine Söhne – die allerdings dafür sind. «Du musst das machen, was für dich stimmt», sagen sie, sehr erwachsen. Auch Herr Perez von der Bank ist auf meiner Seite: «Jetzt sind Sie dran», sagt er. «Jetzt müssen Sie an sich denken.» Plötzlich bin ich wieder am Anfang der Reise, am Ursprung meiner Idee. Was ist das Beste für mich? Was will ich?

Meine Gedanken drehen sich im Kreis. Ich höre keine Argumente, ich höre nur die Forderungen, die von außen auf mich hereinprasseln. Ein Zwanzigjähriger sollte noch nicht ohne Mutter leben müssen. Wer weiß, wie lange deine eigene Mutter noch lebt? Erst wenn sie tot ist, darfst du dich das überhaupt fragen. Und so weiter.

Also verlasse ich meine Gedanken und schließe die Augen. Ich stelle mir vor, wie ich Georges Angebot annehme. Ich sehe das Schild wieder auf der Canyon Road stehen: *Open House*, mit einem Pfeil, der in den Hinterhof zeigt. Ich stelle mir vor, dass ich meine Mutter anrufe und dass sie sagt: «Alles ist verziehen, meine liebe Tochter! Ich werde nie mehr wütend auf dich sein.»

Die Vorstellung ist absurd. Und doch stark genug, dass mir das Herz schwer wird und meine Augen brennen. Nicht vor Erleichterung. Nicht vor Glück. Die schwere Decke der Beklemmung senkt sich herab und legt sich auf mich. Sie ist so schwer, dass ich kaum atmen kann.

«Tut mir leid», schreibe ich zurück. «Du erinnerst dich falsch, meine Liebe zu dem kleinen Haus ist ungebrochen. Es steht nicht zum Verkauf.» Ich drücke auf Senden, und sofort wird mir leichter.

Ach so, denke ich. Ich weiß sehr wohl, was ich will. Ich kann es nur nicht denken. Aber fühlen tue ich es durchaus. Ganz eindeutig und unmissverständlich.

George antwortet postwendend: «Wie gesagt, mein Käufer ist *sehr* motiviert. Mit anderen Worten: Nenn deinen Preis!»

Und da bricht die Schriftstellerin mit mir durch: «Tut mir leid», schreibe ich. «Meine Freiheit hat keinen Preis!» So kitschig das klingt, so wahr ist es auch. Die Freiheit, mein Leben zu leben. Die Freiheit, meine eigenen Entscheidungen zu treffen. Zu schreiben, wann und wie viel ich will. Die Freiheit, dünne Luft zu atmen und in die Sterne zu schauen.

Diese Freiheit hat selbstverständlich sehr wohl einen Preis: das Wohlwollen und die Unterstützung der anderen. Nicht aller, aber mancher Menschen in meiner Nähe. Ich werde lernen müssen, ohne sie zu leben. Dafür kann ich atmen.

Erst später denke ich an Frederic, der so dringend Geld brauchte und alles tat, um mich von dem Kauf zu überzeugen. Wenn er das nicht getan hätte, wenn er noch ein halbes Jahr ausgeharrt hätte, könnte er heute den Preis bestimmen. Aber es ist so, wie es ist, und es ist gut so, wie es ist.

Pionierin im Winter

Anfang Dezember fliege ich wieder nach San Francisco. Ich werde vor Gericht gestellt. Die Verhandlung soll am Zweiten stattfinden, am Dritten will ich gleich weiterfliegen nach Santa Fe. Egal, was dabei herauskommt, der Flug ist gebucht.

In den Wochen vor der Abreise wächst meine Angst. Sie nährt sich von der Ungewissheit, weil nichts an dieser Situation einen Sinn ergibt. Ich verstehe sie nicht, ich kann sie nicht einschätzen, meine Freunde können mir auch nicht raten. Was uns plausibel oder richtig erscheint, hat in den Tiefen des Justizapparats keine Bedeutung. Mit seinem Alltagsverstand kommt man nicht weiter – es sind Situationen wie diese, die einem bewusst machen, wie aufgeschmissen man am Ende ist in einem fremden Land. Selbst wenn man freiwillig auswandert, selbst wenn man privilegiert ist. Das ist nicht einfach auszuhalten. Das habe ich in unseren kalifornischen Jahren oft so empfunden. Und da waren wir immerhin zu viert. Auswandern ist nichts für Schwächlinge. Will ich das wirklich? Noch einmal? Und diesmal ganz allein?

Beinahe täglich telefoniere ich mit meinem Anwalt und dem Anwalt der Versicherung, der mich auf die Verhandlung vorzubereiten versucht. Dabei verstehe ich immer noch nicht, warum ich mich verteidigen muss. Ich packe die konservativste Kleidung ein, die ich in meinem Schrank finden konnte. Und mehrere Schachteln Sprüngli-Pralinen.

In San Francisco scheint die Sonne, die Temperatur beträgt nachmittags um fünf noch achtzehn Grad. Wärmer als bei uns im Sommer. Ich ziehe Fellmantel und Pullover aus. Im Taxi schreibe ich meiner Freundin Theresa eine Nachricht. «Bin unterwegs zu dir.»

«Guten Flug!», antwortet sie. Sie dachte, ich käme morgen. Gerade ist sie bei Freunden auf der anderen Seite der Brücke angekommen, die sie zum Krabbenessen eingeladen haben. Kurz entschlossen packen sie die Krabben, die Saucen, das frische Sauerteigbrot in zwei Kühltaschen, und die ganze Gesellschaft bewegt sich gegen den Feierabendverkehr in die Stadt zurück. Beinahe gleichzeitig kommen wir alle bei Theresa an. Wenig später sitzen wir um ihren Tisch herum, die Ärmel hochgerollt, und knacken mit großem Ernst einen Berg Krabben. Ein wunderbarer Abend, unkompliziert, herzlich, voller Leichtigkeit. Das muss ein gutes Omen sein, denke ich.

Aber als ich am nächsten Tag bei meinem Anwalt erscheine, ist alles schon wieder ganz anders.

«Wir werden uns außergerichtlich einigen», sagt er.

«Was heißt das?»

«Wir wollen Sie nicht vor Gericht stellen. Das Risiko ist zu groß.»

«Das verstehe ich nicht. Ich dachte, es sei so wichtig, dass ich mein Gesicht zeige?»

«Ja, schon, aber ...» Ich kann ihm ansehen, wie schwer es ihm fällt zu formulieren, was er sagen will, und ziehe vorsorglich schon einmal die Pralinenschachtel aus der Tasche.

«Wir wissen einfach nicht, wie eine Jury auf Sie reagieren würde.»

«Auf ... mich?» Ich weiß nicht, was ich sagen soll. Was kann ich darauf sagen? «Ich dachte, ich sei *the good guy... girl!*»

«Na ja, schon, aber wissen Sie, die Stimmung in der Stadt ist schlecht und hat sich in den letzten Monaten noch einmal aufgeheizt. Alle leiden unter den immer höheren Mieten ...»

«Ich weiß.» Das habe ich im Sommer ja auch gespürt. Mit meinen Freunden diskutiert. Doch was hat das mit mir zu tun?

«Die Leute, die sich der Jurypflicht nicht entziehen können, sind genau die Leute, die unter dieser Entwicklung leiden. Wir glauben einfach nicht, dass Sie als Hausbesitzerin, als Vermieterin, die nicht mal in der Stadt wohnt, als Ausländerin aus einem reichen Land in diesem aktuellen Klima die Sympathien auf Ihrer Seite haben können.»

Darauf weiß ich erst mal nichts zu sagen. Ich dachte, ich sei das Opfer hier. Nie hätte ich für möglich gehalten, dass man mich für einen Google-Bus mit verspiegelten Scheiben halten könnte! Gedankenverloren reiße ich die Pralinenschachtel auf und bediene mich erst einmal selber.

«Und, was heißt das? In Zahlen, meine ich.»

Joe bekommt dreißigtausend Dollar von meiner Versicherung. Also von mir. Das wurmt mich. Ich finde es ungerecht, ich lehne mich dagegen auf, doch dann denke ich: Gegen eine außergerichtliche Einigung kann keine Berufung eingelegt werden. Das heißt weiter: Es ist ausgestanden. Vorbei, ein für alle Mal. Das ist das Einzige, was zählt. Mein Haus gehört wieder mir.

Ich rufe ein paar Freunde an. «Das müssen wir feiern!»

Doch als ich am nächsten Abend in Santa Fe ankomme, bin ich schon wieder müde. Langsam zehrt diese Dauererschöpfung an meinen Nerven. Das muss doch jetzt endlich mal besser werden? Ich habe mir einen strukturierten Plan zur Erholung gemacht: Yoga und Meditation und Spazierengehen in den Bergen. Gesund essen und tanzen gehen und mich betrinken und lachen und mich verlieben. Das steht alles auf meiner Liste. Und dann noch Weihnachten.

Es ist kalt, als ich am Flughafen in Albuquerque ankomme, und strahlend klar. Es wird im Winter schnell dunkel hier, die Sterne leuchten, die Temperatur liegt bei minus zehn Grad. Ich ziehe meinen Fellmantel wieder an. Einen flüchtigen Moment lang denke ich: Ich mag doch gar keine Extremtemperaturen! Dann stehe ich schon am Mietwagenschalter.

«Möchten Sie nicht ein etwas besseres Auto nehmen?», fragt die Angestellte – aber das tun sie ja immer. Und dann kostet es mehr. Darauf falle ich nicht herein! Ich nicht! «Es wird schneien», sagt sie, und ich antworte überheblich und dumm: «Ach, wissen Sie, ich bin aus der Schweiz. Ich weiß schon, wie man im Winter Auto fährt.» Und außerdem wollte ich so einen Fiat 500 immer schon mal ausprobieren. Die Straßen sind trocken und gut beleuchtet, ich schaffe es spielend nach Santa Fe hinauf, und ich fühle mich ziemlich gut.

Das Haus ist sauber, Doris hat gestern geputzt, vorgestern erst wurde der Fußboden wieder verlegt. Über die neuen Leitungen, die trockene Erde. Ich mache einen kurzen Spaziergang durch die Nachbarschaft, schaue bei Nathalie hinein, der ehemaligen Moderedakteurin aus Paris, setze mich in den buntbestickten Sessel, der mir so gut gefällt und der viel zu teuer ist. Und außerdem in meiner Casita keinen Platz hat. Ein kleines Haus bewahrt einen vor vielen Fehlkäufen.

Ich verabschiede mich von Nathalie, ohne etwas zu kaufen, gehe weiter, zur Plaza hinunter. Die Bäume sind mit Lichterketten geschmückt, die Luft ist klar und kalt. Ich habe nicht eingekauft, keine Lust, mich noch einmal ins Auto zu setzen und zum Supermarkt zu fahren. In der Bar des Hotels La Fonda ist um diese Zeit nicht viel los. Die Musiker stimmen ihre Gitarren, vereinzelte Touristen erholen sich von ihren Einkaufstouren, an der Bar sitzen die Einheimischen. Eine weißhaarige Frau in einem sommerhaft geblümten bodenlangen Hippiekleid aus den siebziger Jahren trinkt Rotwein und schäkert mit den Barmännern. Ich setze mich in ihre Nähe. Das könnte ich sein, denke ich. In zwanzig Jahren. Nach zwanzig Jahren hier. Die Vorstellung beruhigt mich.

Beim Abendessen blättere ich im Lokalanzeiger, und was entdecke ich? Einen Intensivworkshop mit den Pionierinnen des autobiographischen Schreibens, Natalie Goldberg und Julia Cameron. Autorinnen, die ich immer schon mal gerne kennengelernt hätte. Hier in Santa Fe! Gleich übermorgen! Noch am selben Abend reserviere ich mir einen Platz. Das ist ein guter Einstieg, denke ich.

Ich schlafe schlecht, habe mich noch nicht an die Höhenluft gewöhnt. Jedes Mal, wenn ich aufwache, habe ich das Gefühl, es sei kälter geworden im Haus. Am nächsten Morgen wache ich auf und bin eingeschneit. Samt meinem Fiat 500. Und die Heizung ist auch ausgestiegen. Bei vierzehn Grad Kälte. Ich rufe Doris an, Doris ruft Jean-François an, Jean-François schickt zwei Handwerker vorbei. Diese bekreuzigen sich fast, als sie mich sehen: «*Madre de dios*, ist dieses Haus verflucht?» Es sind die Männer, die ich auf den Fotos gesehen habe, die den Lake Milena trockenlegten und armdicke Baumwurzeln ausgruben. Wochen haben sie hier zugebracht. Und sie dachten, wie ich auch, es sei endlich alles in Ordnung. Doch die Heizung ist ein anderes Problem, allerdings auch ein unterirdisches. Es gibt nur zwei Öffnungen im Fußboden, aus denen die heiße Luft austreten kann. Und das ist bei diesen Temperaturen einfach nicht genug. Diese Temperaturen sind allerdings normal für Santa Fe. Also war auch dies ein bekanntes Problem. Letzte Woche, als der Fußboden noch abgedeckt und die Erde darunter nicht gefroren war, hätte man das Problem leicht beheben können. Jetzt aber …

Meine alte Bekannte, die Mutlosigkeit, tritt zu mir. Sie legt einen Arm um meine Schultern, so schwer, dass ich in den Knien einsinke und den Kopf hängen lasse. «Siehst du, ich hab es ja immer gesagt, das kommt nie gut», flüstert sie. «Du wirst nie glücklich sein. Es wird nie einfach sein. Warum gibst du es nicht auf?»

So böse war sie noch nie. Ich glaube, ihre dumme Stiefschwester, die Erschöpfung, stachelt sie an. Aber auf der anderen Seite von mir steht Doris, die sagt: «Das ist ganz normal. Hier geht immer etwas schief. Als ich hierherzog, hatte ich erst mal zwei Jahre lang nur Probleme.»

«Zwei Jahre? Und das soll mich aufmuntern?»

«Nein – dafür brauchen wir starken Kaffee!»

Sie fährt mit mir zur *Coop* an der West Alameda, einem alternativen Supermarkt, der nur Produkte aus der Gegend verkauft und der gleich neben Doris' Lieblingscafé liegt. Die Straßen sind nicht geräumt, man verlässt sich darauf, dass die Sonne den Schnee im Verlauf des Tages zum Schmelzen bringt. Bis wieder neuer Schnee fällt. An schattigen Stellen sind die Straßen dick vereist.

«Hier brauchst du schon ein vernünftiges Auto», sagt Doris. «Sonst bist du aufgeschmissen.» Aber erst brauchen wir einen Kaffee. Wie immer wird Doris von allen Seiten angesprochen. Der Schnee ist für alle ein Thema. «Ich bin heute gar nicht erst zur Arbeit gefahren», hören wir mehr als einmal. Und: «Kennst du jemanden, der Schnee schaufelt? Letzte Woche hat mir einer hundertsechzig Dollar dafür verrechnet, das ist doch eine Frechheit!» Doris ruft einen Kunden an, der abgelegen wohnt. «Ich weiß nicht, ob ich es heute zu dir hinausschaffe. Aber sag mal, wie hieß gleich der Typ, der letzte Woche bei dir Schnee schaufelte? Der war doch anständig, nicht?»

So geht es: Einer hilft dem anderen, und Doris hilft allen. Wir kaufen Lebensmittel, Kerzen, Feuerholz und eine Wolldecke. Als wir nach Hause kommen, sind die Handwerker gegangen. Ich habe das Gefühl, die Heizung funktioniere wieder, doch als ich auf das Thermometer schaue, zeigt es vierzehn Grad. Über null, immerhin. Ich ziehe mich warm an, feure ein im Kamin. Ich schlafe auf dem Sofa im Wohnzimmer, das ist näher an der Wärme.

Ich beschließe, schon am Abend vor dem Workshop ins Hotel zu ziehen. Mein Zimmer ist beinahe größer als mein Haus, aber geheizt. Und gemütlich. Einen Kamin habe ich auch. Der Blick geht über die verschneiten Hügel. Beim Abendessen lerne ich schon ein paar tolle Frauen kennen, unter anderem Theo Pauline Nestor, die den Anlass organisiert hat. Vor zwanzig Jahren hat sie im Teahouse an meiner Straße als Kellnerin gearbeitet. Da, wo Nathalie Goldbergs *Schreiben in Cafés* spielt. Irgendetwas mache ich falsch, dachte sie damals. Ich wollte doch auch schreiben. Nicht kellnern! Heute unterrichtet sie zusammen mit ihrem damaligen Idol. Und dazwischen hat sie ein Buch über ihre Scheidung geschrieben: *Die Kunst, allein im Doppelbett zu schlafen*. Diese beherrsche ich zwar schon lange, trotzdem bin ich auf Theos Workshop besonders gespannt. Es geht um die berühmte *Outline*, etwas, das ich immer vermieden habe, um mir den Spaß am Erfinden nicht zu verbauen. Mal sehen, was ich damit anfangen kann. Ich bin offen für alles, und ich mag Theo, die in ihrer Jugend zwei Anarchisten aus der Schweiz gekannt und sogar zu Hause besucht hat: «Somewhere in the Kanton Aargau, do you know that place?» Oh, kleine Welt! Wir trinken noch ein Glas Wein und bestellen dann an der Rezeption ein Schneemobil, das uns über die verschneiten Wege zu unseren Zimmern fährt. Zu Fuß hätten wir es nicht mehr geschafft – wegen der Wetterverhältnisse, natürlich! Ich bin sehr glücklich, als ich ins Bett gehe, freue ich auf den nächsten Tag, auf die Workshops, auf die neuen Gesichter, Erkenntnisse …

Doch als ich aufwache, bin ich nicht mehr ich selbst. Eine Monstermigräne hat mich erfasst, etwas, das mir erst drei- oder viermal im Leben passiert ist. Ich schaffe es kaum, aufzustehen und mich anzuziehen, geschweige denn, an einem Workshop teilzunehmen. Schutzengel Doris muss mich abholen und ganz, ganz langsam in die Stadt zurückfahren. Zu Hause krieche ich auf allen vieren zu meinem Bett, wo ich die nächsten achtundvierzig Stunden im Dunkeln liege und nur noch sterben will.

Aber ich sterbe nicht. Die Stunden vergehen, ich weiß nicht, ob es Tag ist oder Nacht, das Zimmer ist dunkel. Ich liege zusammengekrümmt auf der Seite. Ich kann nicht lesen, ich kann nicht denken, selbst das Atmen tut mir weh.

Manchmal höre ich Stimmen. Immer wieder huscht ein Schatten durchs Halbdunkel. Katchie, Joshua und Doris schauen abwechselnd vorbei, feuern den Kamin ein, machen Suppe warm, die ich nicht esse. Katchie bringt mir zwei von einer Operation übriggebliebene, rezeptpflichtige, süchtig machende Schmerztabletten, die meine Migräne leider überhaupt nicht beeindrucken.

Ich wimmere vor mich hin. Wann hört das auf? Wann wird es besser? Die Mutlosigkeit setzt sich auf meine Brust, als hätte ich nie gegen sie aufbegehrt. Gib auf, gib auf, gib auf. Eine von vier Wochen ist schon vergangen, und was hast du erreicht? Nichts. Was ist mit deinen schönen Plänen? Nichts.

«Du bist weiter vom Glück entfernt denn je», kommentiert die Mutlosigkeit ungerührt. Ich zapple, ich weine, ich wehre mich. Versuche vergebens, mich unter ihrem Gewicht hervorzuwinden. «Ich bin kein Fuchs», wimmere ich. «Ich will kein Fuchs sein!»

Diese Geschichte von dem Fuchs, der kein Fuchs sein wollte, hat meine Zenlehrerin einmal erzählt. «Seit fünfhundert Leben komme ich jedes Mal wieder als Fuchs auf die Welt», beschwerte sich der Fuchs. «Wann kann ich bitte wieder ein Mensch sein? Wie lange dauert das noch?» Denn der Fuchs erinnerte sich immer noch an ein anderes Leben, an ein Leben als Mensch.

«Bevor du ein Mensch sein kannst, musst du erst einmal wirklich ein Fuchs sein», bekam er zur Antwort. Nachdem ich die Geschichte zum ersten Mal gehört hatte, habe ich mich furchtbar darüber geärgert. Ja, ja, schon gut, dachte ich.

Ich weiß schon, was du mir damit sagen willst, was ich daraus lernen soll, vielen Dank auch! *Aber ich will nun mal kein Fuchs sein!* Seit meiner Trennung will ich nur eins: über die Trennung hinweg sein. Und zwar so schnell wie möglich. Jede Träne, die ich vergieße, empfinde ich als Schmach. Ich will verdammt noch mal glücklich sein, ich will gesund sein, ich will sein wie neu. Man wird schließlich auch nicht jünger. Ich habe nicht ewig Zeit, um zu leiden. Habe ich nicht *vor* der Trennung schon genug gelitten? Bis ich mich endlich losreißen konnte? Reicht das nicht? Und was bitte soll das jetzt mit diesen körperlichen Beschwerden? Mit fünfzig sollte ich fit sein wie nie und schöner denn je! Das bestimmt schließlich der Zeitgeist.

Stattdessen fühle ich jedes Jahr doppelt. Ich hadere mit meiner Trauer, ich hasse meine Erschöpfung. Ich bekämpfe sie mit allem, was ich habe – und das ist eben nicht mehr viel. Und wird immer weniger.

«Seit fünfhundert Leben fühle ich mich schon so», jammere ich im Dunkeln vor mich hin. Ich bete wie ein kleines Kind: «Bitte, mach, dass es aufhört, bitte, bitte, mach, dass es aufhört.»

Irgendwann in diesen achtundvierzig Stunden, in denen ich im Dunkeln vor mich hin dämmere, akzeptiere ich die Möglichkeit, dass es so bleibt. Dass ich immer traurig sein werde, immer müde. Wenn nur der Schmerz nachlässt. Und die Übelkeit.

Irgendwann ist es so weit. Irgendwann schmilzt auch der Schnee. Irgendwann habe ich das Heizen mit Holz im Griff. Aber ich habe meine Lektion gelernt. Ich nehme mir nichts mehr vor. Ich verwerfe all meine Pläne, ich melde mich beim Yoga ab, ich bleibe zu Hause. Bewege mich vom Bett zum Sofa und vom Sofa zur Fensterbank. Ich brauche ewig lange, um den Kamin einzuheizen, und empfinde tiefste Befriedigung, wenn der Rauch schön aufsteigt und die Flammen die Holzscheite entlangzüngeln. An manchen Tagen gehe ich nur für eine Stunde hinaus in die klirrend kalte, märchenhaft schöne Landschaft. Ich gehe die hundert Meter bis zum Teahouse, esse ein Sandwich, trinke einen Kaffee. Ich spaziere zur Plaza, besuche eins der vier Museen, die dort dicht an dicht stehen. Nur eins. Eine Stunde lang. Das reicht schon. Ich gehe wieder nach Hause und lege mich hin. Vielleicht bleibt das jetzt so, denke ich. Vielleicht bin ich jetzt eine alte Frau, die nicht mehr viel unternehmen kann. Macht auch nichts, denke ich. So lange ich keine Kopfschmerzen habe! Ich muss ja nichts – das wird mir erst langsam klar. Und nur für kurze Momente. Immer wieder vergesse ich, dass ich die die Lösung für alles bereits gefunden habe.

«Ich mache einfach gar nichts», erzähle ich Katchie, und sie: «Na ja, außer ein Buch schreiben, wöchentliche Kolumnen abliefern, Radiogeschichten, den Blog, Anfragen beantworten, die Steuererklärung …»

»Ja, ja, ja, schon gut!» Ich kann jetzt schon wieder ganz gut über mich selber lachen. Vor zwanzig Jahren wurde ich als «die Mutter der Schlampenbewegung» gefeiert. Immer wieder rufe ich dazu auf, fünf gerade sein zu lassen. Aber für mich selber gilt das offenbar nicht? Was immer ich tue, es ist nie genug. Nie gut genug. Sogar für die Erholung stelle ich ein straffes Programm auf, setze mir klare Ziele und schimpfe mit mir, wenn ich sie nicht planmäßig erreiche.

»Du würdest niemanden so schlecht behandeln wie dich selbst» – das habe ich so oft gehört, dass ich schon gar nicht mehr weiß, wer es zuerst gesagt hat.

»Schon gut», sage ich. «Ich weiß: Ich bin ein Fuchs.»

Ich bin allein. Ich bin allein auf der Welt, und die Welt ist kalt und weiß verschneit. Der Boden ist hart, ich trage Fellschuhe, einen Fellmantel, ich bin selber mit Schnee bedeckt – Nevada, die Schneebedeckte! Erst stehe ich still, atme die kalte Luft ein, die meine Lungen schmerzen lässt. Ich schaue mich um. Meine Augen tränen, von der kalten Luft, von der Gewissheit: Da ist niemand, da ist nichts. Plötzlich tut sich eine Spur vor meinen Füßen auf, eine einsame Fissur in dem endlosen Weiß. Ich folge ihr, und jetzt knirscht der Schnee unter meinen fellbespannten Füßen; je weiter ich gehe, desto deutlicher wird die Spur, immer mehr Fußabdrücke legen sich übereinander. Ich gehe einen Weg, den schon viele vor mir gegangen sind, und doch bin ich allein, ganz allein.

Die Erde krümmt sich, ich sehe bis an ihr Ende. Ich weiß, dass nach dem Ende etwas anderes kommt, etwas Neues. Ich schaue nach rechts und ahne das Meer. Ich könnte ans Meer gehen, denke ich, ich könnte nach rechts gehen und käme ans Meer. Ich stelle mir das weite Blau vor, den endlosen Strand – da wäre ich genauso allein, aber es wäre warm. Ich gehe nach links weiter, und da, hinter einer Biegung, hinter der Krümmung der Erdkugel, tut sich plötzlich eine ganz andere Landschaft auf. Ich sehe sie wie hinter Glas, wie eine Spiegelung. Eine grüne Sommerwiese, kniehohes Gras, bunte Wiesenblumen, ein alter Baum mit ausladenden Ästen. Unter diesem Baum steht ein langer Holztisch, zwanglos gedeckt, die Teller passen nicht zueinander, die Gläser sind dickwandig. Große Schüsseln voll dampfender Pasta und grünem Salat, Rotweinflaschen ohne Etikett. Es ist eins dieser Mittagessen, die sich stundenlang in den Nachmittag hineinziehen. Kinder rennen barfuß um den Tisch, die Gäste haben die Stühle weggerückt, lehnen sich zurück, einige sind aufgestanden, haben mit anderen den Platz getauscht. Sie reden miteinander, lachen, küssen sich. Einige tanzen weiter draußen auf der Wiese. Sehnsüchtig starre ich auf diese Szene, wie gerne würde ich das Glas durchbrechen, mich mit an den Tisch setzen, dazugehören. Aber ich bin ein Yeti aus dem Eis, ein fellbedecktes Wesen, und die Gäste an dem Tisch sind schöne, unversehrte Wesen, schlank und braun gebrannt, sie tragen alle weiße Kleider.

Und dann ist es, als hätte mein sehnsüchtiger Blick die Glasscheibe weggebrannt, geschmolzen, aufgelöst. Ich schleiche mich an, in einem großen Bogen, immer wieder vorsichtig zu der Gesellschaft hinüberschielend. Halb fürchte ich, sie würde mich entdecken, halb hoffe ich es. Aber ich bin unsichtbar – so groß und haarig und schneebedeckt ich bin, sie sehen mich nicht. Ich werde traurig: Ich wusste es ja, es gibt keinen Platz für mich an diesem Tisch. Schon will ich umdrehen, mich zurückziehen. Im Gehen werfe ich einen letzten sehnsüchtigen Blick zum Tisch hinüber. Die Leute reden, lachen, essen, sie sehen mich nicht, ich existiere nicht. Ich wende mich ab – da sehe ich plötzlich einen altmodischen Garderobenständer aus Holz – und was hängt da? Lauter Yetipelze! Schneebedeckte Felle, Mützen, Überschuhe! Genau wie meine!

Ich schaue wieder über die Schulter zurück an den Tisch, und da sehe ich es erst: Jeder von ihnen hat irgendwo noch ein bisschen Fell, an der Hand, am Fuß, in Form eines Handschuhs, einer Gamasche.

Wir sind alle Yetis, denke ich, ein bisschen verwundert. Ich nehme mein Fell ab, hänge es an die Garderobe. Darunter trage ich ein dünnes weißes Nachthemd. Meine Beine sind weiß. Ich behalte einen Handschuh an, ich will mich nicht verstecken, ich will mich nicht verleugnen. Ich atme tief ein, recke das Kinn, trete mit hocherhobenem Kopf an den Tisch. Immer noch scheint niemand meine Anwesenheit zu bemerken. Doch da ist ein Stuhl frei geworden, zwischen zwei Frauen, gegenüber sitzt ein Mann, ich setze mich auf den Stuhl. Alle sprechen miteinander, von mir abgewandt. Ich kann nicht hören, was sie sagen, worüber sie sprechen, kann mich ins Gespräch nicht einmischen. Auch der Mann gegenüber schaut mich nicht an. Aber da ist ein Kellner mit einem Tablett voller Gläser, ich winke ihn heran, er stellt ein Glas Rotwein vor mich hin. Ich lege meine linke Hand auf den Tisch, meine Bärentatze. Ich wache auf.

Fest der Liebe

Es ist kurz vor Weihnachten. Die Stadt füllt sich wieder. Die Einwohnerzahl schwillt nicht nur im Sommer von achtzig- auf dreihundertsechzigtausend an. Auch über die Weihnachtstage wird Santa Fe von Touristen überschwemmt, und jeder, der hier ein Ferienhaus hat, ein «second home», reist extra dafür an. Denn Weihnachten ist etwas ganz Besonderes hier.

Nicht nur hier. Auch in meinem eigenen Leben. Oder wenigstens, seit ich Kinder habe. Mein erster eigener Weihnachtsbaum war so klein, dass ich ihn problemlos im Tram nach Hause transportieren konnte und von oben bis unten in Rosa dekorierte. Kugeln, Kerzen, Glitter in Neonrosa. In Ermangelung von rosa Engelshaar legten wir eine Federboa um die obersten Äste. Wir schoben tiefgefrorene Käseküchlein aus dem Supermarkt in den Ofen, drehten die Musik auf und öffneten die Türen weit. Mit «wir» meine ich die Freundin, mit der ich damals zusammenwohnte, und ich. Seit ich von zu Hause ausgezogen war, hatte ich Weihnachten im Freundeskreis fröhlich ignoriert, zum Beispiel, indem wir uns einen nächtelangen Serienmarathon (*Kottan ermittelt*) im Sofakino anschauten. Doch nun war ich vierundzwanzig, ich hatte ein Kind, und Weihnachten erhielt eine neue Bedeutung. Viel konnte ich meinem älteren Sohn nicht bieten: keine richtige Familie, keine Stabilität, keine Mutter, die weiß, was sie tut. Aber eins konnte ich ihm versprechen: «Egal, wo wir sind, egal, was passiert, du wirst Weihnachten zu Hause sein – und zwar mit beiden Eltern!» Und so war es dann auch. Wir feierten mal im kleineren, mal im größeren Familienkreis, in Amerika und in der Schweiz, unter kleineren und größeren Bäumen, mit immer weniger rosafarbenem und immer mehr von Kindern gebasteltem Schmuck, mit englischen oder deutschen Liedern. Wir feierten mit allen anderen, die am 24. nicht nach Hause konnten. In der WG mit den Kollegen, die sich mit ihren Eltern verkracht hatten. Später mit Durchreisenden, mit Freunden aus anderen Ländern, in San Francisco mit den anderen Europäern. Wir feierten alle zusammen. Ein einfaches und doch besonderes Ritual. Fünfundzwanzig Jahre lang war das möglich. Fünfundzwanzig Jahre lang war das schön. Dann war es vorbei. Das Ritual war hohl geworden. Wir zogen es noch einmal durch, einfach, weil wir es nicht wahrhaben wollten. Weil wir dachten, es reiche, so zu tun, als ob. Es reichte nicht.

Ich tue es meinen Söhnen zuliebe, dachte ich und biss die Zähne zusammen.

«Wir haben es für dich getan», sagten sie später. «Weil du doch Weihnachten so liebst.»

Darauf wusste ich eine ganze Weile nichts zu sagen. Aber ich wusste, dass es nicht stimmen konnte. Rituale sind wichtig und schön. Aber sie müssen mit Leben gefüllt sein.

Und dann, letzten Sommer, als ich zum ersten Mal diese Casita betrat, kam dieser absurde, unpassende Gedanke aus dem Nichts: Hier könnten wir doch zusammen Weihnachten feiern! Dabei wusste ich noch nicht einmal, wie man in Santa Fe Weihnachten feiert: gemeinsam. Alle zusammen, die ganze Stadt und alle Touristen, die extra dafür angereist sind. Santa Fe feiert auf der Straße – und zwar auf meiner Straße! Die ganze Canyon Road und die ganze Stadt wird mit Farolitos geschmückt, einfache braune Papiertüten, mit etwas Sand gefüllt, in denen Teelichter stecken. Zehntausende von ihnen flimmern in der klaren Luft. Nachmittags um vier versammelt man sich in der Canyon Road. Jedes Restaurant, jedes Café, jede Galerie, jedes Privathaus öffnet seine Türen weit, bietet Essen und Trinken an. Jeder redet mit jedem, jeder feiert mit jedem. Keiner ist allein.

So will ich Weihnachten feiern, dachte ich. Gemeinsam. «Ihr müsst nicht mitkommen», sagte ich zu meinen Söhnen, «aber das ist es, was ich machen werde.» Das ist mein neues Ritual. Es muss ja nicht ihres werden. Doch zu meiner großen Überraschung und zu meinem großen Glück melden sie sich an.

Ich fühle mich stärker heute. Als hätte ich eine lang andauernde Prüfung geschafft. Wie eine Pionierin, die den ersten harten Winter im Planwagen überstanden hat. Nicht nur die Erfahrung, dass ich mit allen möglichen Katastrophen und Widrigkeiten fertig werden kann, dass ein gebrochenes Herz genauso reparierbar ist wie eine löcherige Wasserleitung, macht mich stark. Nein, es ist die Erinnerung an diese Schatten, die im Dunkeln durch mein Haus huschten. Diese beinahe Fremden, die sich still und heimlich um mich kümmerten. Dass ich viel aushalte, wusste ich schon. Dass ich Hilfe annehmen kann, nicht.

«Das ist hier so», sagte Doris. «Die, die hierbleiben, die helfen einander.» Und die anderen ziehen weiter. Santa Fe ist hinter seiner lieblichen, verspielten Fassade ein harter Ort. Die klare Luft macht das Atmen freier, aber auch schwer. Das wunderbare Licht, der weite Himmel fordern die Lungen. Das Klima ist radikal, entweder zu heiß oder zu kalt, und: «Das Schlimmste hast du noch gar nicht erlebt: den Frühling. O Gott! Da bläst ununterbrochen der trockene Wüstenwind, und alle haben Pollenfieber!»

Genauso extrem sind die Lebensbedingungen. Der Graben zwischen Reich und Arm ist hier noch tiefer als in San Francisco, wo ich ihn schon schwer erträglich fand. Die einen kämpfen wörtlich um das tägliche Überleben, die anderen rennen dem Glück hinterher. Es ist ein Ort, der einen mit seiner Schönheit anlockt, mit seinem trügerisch leichten Licht, und der sein Gesicht erst nach einer Weile zeigt. Wer immer nur «für die Opernsaison» hier ist, sieht es nie. Da fällt mir ein, was Lil einmal in ihrer Kolumne «Coyote Corner» über das Leben in der Wüste geschrieben hat: «Ob in Afrika, im Nahen Osten oder in Amerika, ob heute oder vor hundert Jahren – die Wüsten der Welt scheinen dieselben Gedanken und Gefühle hervorzurufen. Vom Glück der Stille ist die Rede und vom Stillstehen der Zeit, vom Schärfen des Blicks und einem ganz andern Erfahren von Natur und Gefahr. Und natürlich vom Zurückgeworfensein auf sich selber – alles Dinge, über die ich auch schon geschrieben habe. Die Wüste hat eine Art, diejenigen, die nicht hierhergehören, schnellstens wieder auszuspucken, hat mir letzthin einer gesagt, ein Immobilienhändler, seltsamerweise.»

Das ist es, denke ich. Die Wüste hat mich durchgekaut. Aber sie hat mich nicht ausgespuckt. Bei allem, was ich Tag für Tag neu entdecke, wächst auch meine Gewissheit: Hier bin ich zu Hause. Hier fühle ich mich wohl.

Eben: erklären kann ich das nicht. Je länger, je weniger.

Jetzt bereite ich mich auf den Besuch meiner Söhne vor. Ich bin nervös, ich möchte so sehr, dass es ihnen hier gefällt, und weiß doch, dass es gar nicht darum geht. Ich habe eine ganze Liste – einmal mehr – von Dingen, die wir unternehmen könnten: Skifahren, ganz in der Nähe! Es sei vergleichsweise einfach, eine Ausrüstung zu mieten, und in einer halben Stunde ist man auf der Piste. Zu den heißen Quellen nach Ojo Caliente fahren, im Schlammbad dümpeln. Eins der nahegelegenen Pueblos besuchen, einem rituellen Tanz zuschauen. Ins Kino gehen, dass George R. R. Martin, der hier ansässige Kultautor von *Game of Thrones* gekauft und renoviert hat und auf eigene Kosten betreibt. Als Geschenk für die Gemeinde. Und natürlich: Der Farolito Walk am 24. Dezember. Die Vorstellung von einem Weihnachtsbaum habe ich aufgegeben, es fehlt schlicht der Platz.

Dafür kaufe ich aus Metall ausgestanzte Herzen und befestige sie am Fenster. Sie klirren leise bei jedem Luftzug und wenn das Licht hereinfällt, tanzen diese Schattenherzen an den Wänden.

Ich beziehe das Bett neu, Cyril bringt seine Freundin mit, ich überlasse dem jungen Paar das Bett. Lino und ich werden auf den beiden Sofas im Wohnzimmer schlafen. Das Haus hat keine Türen, wer auf die Toilette muss, geht direkt am Bett vorbei. Plötzlich mache ich mir Sorgen: Wird das gehen? Werden wir einander nicht auf die Nerven gehen? Hätte ich nicht Katchies Angebot, Cyril und Mirjam in ihrer Gästecasita unterzubringen, annehmen sollen? Aber dann wären sie so weit weg. Ich bin selbstsüchtig, ich will sie bei mir haben. Wenn es gar nicht auszuhalten ist, denke ich, kann ich immer noch auf das Angebot zurückkommen. Ich klappe den Tisch auf, den Frederic mir hinterlassen hat, und der sich an die Wand zurückfalten lässt. Ich decke den Tisch für ihre Ankunft. Als es Zeit ist zu gehen, muss ich unter dem Tisch hindurchkriechen, um zur Tür zu kommen.

Die Straßen sind trocken, ich bin früh losgefahren, weil ich in Albuquerque den Fiat 500 gegen ein größeres und schneetaugliches Modell eintauschen will. Ich brauche wie immer eine Weile, um in dem neuen Auto alle Schalter zu finden. Ich habe erst vor fünfzehn Jahren Auto fahren gelernt, das war in San Francisco. Ich hatte solche Angst davor – heute fahre ich ohne mit der Wimper zu zucken quer durch den halben Kontinent, allein. Am Ausgang frage ich den Parkwächter, ob mein Licht an ist – noch scheint die Sonne, strahlend hell, ich kann das Licht nicht sehen. Aber ich weiß, dass es in einer halben Stunde stockdunkel sein wird.

«Alles bestens, Ma'am», sagt der alte Mann und hält den Daumen hoch. Ich fahre aus dem Mietwagen-Parkhaus hinaus, dreimal ums Eck und ins Flughafen-Parkhaus hinein. Ich bin viel zu früh dran. Der Flughafen Albuquerque ist mir unterdessen vertraut, ich weiß, wo es den besseren Kaffee gibt, ich kaufe eine Zeitung, die ich gar nicht lese, weil ich wie gebannt zur Treppe starre. Endlich kommen sie. Ich springe auf, lasse die Zeitung fallen, der Kaffee kippt um. Ich springe in die Luft wie eine amerikanische Mutter, ich klatsche in die Hände, ich schreie viel zu laut: «DA SEID IHR JAAAAA!»

Sie lassen es sich gefallen. Sie sehen müde aus, die Anreise war lang. Wir gehen ins Parkhaus, und ich finde den Wagen nicht – ich habe mir nicht gemerkt, wie er aussieht. Ich weiß nur noch, welche Farbe er hat. Aber der Schlüssel findet ihn, lässt seine Scheinwerfer im Dunkeln aufblinken. Wir verstauen zwei große Koffer und einen tonnenschweren Rucksack im Auto, ich verteile Wasserflaschen, halte einen Vortrag über die Höhe und die Trockenheit. Cyril und Mirjam schlafen gleich auf dem Rücksitz ein. Lino sitzt neben mir und schaut angespannt aus dem Fenster. Er ist schon viel gereist, kann sich überall zurechtfinden. Doch da draußen ist nichts zu sehen. Nur schwarze Nacht und viel Verkehr. Ich versuche ihm die Landschaft zu beschreiben, durch die wir fahren, und was sie mir bedeutet.

«Mama, bist du sicher, dass du das Licht an hast?», unterbricht er mich besorgt.

«Natürlich habe ich das Licht an!» Schließlich habe ich ja extra noch den Parkwächter gefragt.

«Mama, da macht aber einer Zeichen ...»

Ich schaue auf die andere Spur hinüber, ein Wagen hält sich dicht neben mir, der Fahrer öffnet und schließt die Faust wiederholt, mit verzweifeltem Gesichtsausdruck. Als würden seine Hände blinken.

«Schon gut, schon gut!» Ich drehe den Schalter eins weiter, der Fahrer auf der Überholspur hebt den Daumen hoch und verschwindet in der Nacht. Ich höre meinen Sohn ganz langsam ausatmen.

«Ups», sage ich. Ich muss lachen, obwohl ich merke, dass Lino das gar nicht lustig findet. Er hat schon als Kind unser Ferienbudget verwaltet und später auf den amerikanischen Schulwegen den Benzinfüllstandsanzeiger im Auge behalten.

Jetzt sagt er nichts, bis wir in Santa Fe ankommen. Er steigt aus, streckt sich, schaut sich um. Er schaut mich prüfend an, wie ein Insektenforscher eine neue Spezies in Augenschein nimmt. «Mama», sagt er. «Du hast dich ja gar nicht aufgeregt.» Die neue Mutter – die gelassene Mutter?

Das Haus ist sofort voll. Überquellende Koffer auf dem Fußboden, Waschbeutel im Badezimmer. Es gibt nicht genug Haken für alle Badetücher, nicht genug Ablage für alle Zahnbürsten. Nur schon die Schichten von Außenbekleidung, die man in diesem Klima braucht, füllen den Eingang komplett. In letzter Minute habe ich Haken am Türpfosten angebracht. Unsere Stiefel fallen auf der Schwelle übereinander.

Wir essen die Pizza Pouches, die ich Cyril zuliebe gekauft habe, am Klapptisch, den wir nach dem Essen wieder an die Wand falten müssen, sonst haben wir keinen Platz zum Schlafen. Lino ist frisch verliebt, er rechnet die Zeitverschiebung nach Zürich aus, sucht sich einen ungestörten Ort zum Telefonieren. Viel Glück, denke ich. Er geht hinaus, kommt mit klammen Fingern bald wieder herein. Irgendwann liegen wir auf unseren Sofas, jeder mit einem Laptop auf den Knien, Kopfhörer auf den Ohren, und grinsen uns an. Trotz der Kopfhörer hören wir das Kichern aus dem Nebenzimmer. Ich weiß nicht, wann wir uns zuletzt so nah waren. Und ich weiß nicht, warum ich mir solche Sorgen gemacht habe. Ich weiß nicht, wann ich zuletzt so glücklich war.

Am nächsten Morgen mache ich Spiegeleier und Speck, ein amerikanisches Frühstück. Ich räume unsere Bettdecken aus dem Wohnzimmer, ich mache Platz für den Tisch. Es ist wie im Zenkloster, denke ich und muss lachen. Letztes Jahr habe ich in unserem «Mutterhaus» in San Diego eine Schweigewoche verbracht. Und sehr genossen. Nur das Essen fand ich schwierig: Gemeinsam, aber jeder für sich. Jeder bereitete sich seine eigene Mahlzeit zu, räumte seine eigenen Reste weg, wusch sein eigenes Geschirr ab. Das schien mir unsinnig, unfreundlich und zeitraubend. Aber so war es nun einmal. Und jetzt verstehe ich plötzlich: Es ist eine gute Übung, alles von Anfang bis Ende zu tun, nichts halbfertig liegen zu lassen. Das Bett sofort zu machen, das Geschirr sofort abzuwaschen, den Tisch nach dem Essen gleich wieder hochzuklappen.

Die Kinder, die keine Kinder mehr sind, leiden unter Jetlag. Mit glasigen Augen hören sie zu, als ich meine Pläne präsentiere. Sie stöhnen: «Skifahren? Bitte nicht. Keinen Sport!»

«Ein Schlammbad? Ich hab keine Badehosen mit …»

«Alles, nur nicht Auto fahren!»

«Also der Besuch in einem Pueblo scheint mir an sich schon fragwürdig, geschweige denn zu einem heiligen Ritual …»

«Ist denn George R. R. Martin auch selber in dem Kino anwesend? Kann ich ihn kennenlernen?»

Ich immer mit meinen Listen, mit meinen Vorsätzen! Ich lege sie weg.

«Was wollt ihr denn machen?»

Sie schauen einander an, zucken mit den Schultern. Am liebsten gar nichts! Abhängen. Ausruhen. Zusammensein. Was begehrt das Mutterherz mehr? Die Tage vergehen langsam und gemütlich. Das kleine Haus bietet uns allen Platz. Die Wärme verteilt sich schneller, wenn das Haus voll ist. Wir finden umweltfreundliche Scheite aus gepressten Kaffeebohnenschalen, die erstaunlich hell und lange brennen. Wir reden, wir reden nicht. Ab und zu gehen wir in ein Café, etwas essen, ein einziges Museum dränge ich ihnen auf, mein liebstes an der Plaza, das Museum of Contemporary Native American Art. Ich gehe so oft dorthin, dass die freiwilligen Helfer an der Kasse und im Shop mich schon kennen. Geduldig beantworten sie meine Fragen, und sie freuen sich, als ich für einmal nicht allein auftauche.

Lino beginnt damit, mir eine Art Wohnwand zu entwerfen. Das ist die einzige Möglichkeit, um mehr Stauraum zu erhalten. Eine deckenhohe Kombination aus Büchergestell und Kleiderschrank. Um das Bett herum gebaut. Auf dem ersten Entwurf zeichnet er sorgfältig das Bild ein, das er mir zum Geburtstag geschenkt hat. Sich und seinen Bruder als grinsende Strichmännchengesichter. Wenn ich ehrlich bin, ist es das einzig wirklich Wichtige. Ob dieses Fach ein bisschen höher oder dieses etwas breiter wird, ist Nebensache.

Wir sind immer noch eine Familie. Wir sehen nur nicht mehr so aus.

Dann ist es 24. Dezember. Meine Söhne haben die Päckchen mitgebracht, die ich ihnen seit ewigen Zeiten in den Adventskalender stecke. Eine Tradition, die immer noch anhält, auch wenn der Kalender unterdessen viel Nützliches enthält, Unterwäsche und Socken, aber immer wieder auch eine Überraschung. Als Lino achtzehn wurde, fragte ich ganz vorsichtig, ob er nicht langsam zu alt sei dafür? Seinen Blick vergesse ich nie: Ich hätte ebenso gut fragen können, ob es okay sei für ihn, wenn ich ihn an der Autobahnausfahrt aussetze. Also bastle ich nach wie vor jeden November diese Kalender, achtundvierzig Päckchen, die ich wie eine Kurzgeschichte strukturiere. Ich unterbreche die scheinbare Langeweile der nützlichen Geschenke mit Überraschungen, ich arbeite auf das große Finale hin, das letzte Päckchen. Das enthielt fünfundzwanzig Jahre lang immer eine Christbaumkugel, ein Ornament, das etwas mit ihrem Leben zu tun hatte, einen versilberten Basketball, eine glitzernde Golden-Gate-Bridge, ein Paar Ski, ein Musikinstrument. Jedes Jahr hängten sie diese neuen Kugeln an unseren Baum, der so Jahr für Jahr unsere Geschichte weitererzählte.

Dieses Jahr befinden sich in den Päckchen, die mit «24» beschriftet sind, Farolitos: Papiertüten, Teelichter, ein bisschen Sand. Wir füllen die Farolitos und stellen sie aufs Fensterbrett und auf das Mäuerchen vor dem Haus. Auf der Straße sind die Vorbereitungen schon in vollem Gange. Freiwillige Helfer füllen Hunderte von Papiertüten mit Sand und stecken

Kerzen hinein. Angezündet werden sie aber erst nach Sonnenuntergang. Katchie kommt vorbei, sie will den Farolito Walk mit uns mitmachen. Wir machen eine Flasche Prosecco auf, und plötzlich kramen alle doch noch kleine Geschenke hervor. Cyril schenkt mir eine Keramikkachel, auf der ein offenbar weibliches Skelett mit hochhackigen Schuhen und rosaroten Fingernägeln neben einem rosaroten Telefon am Tisch sitzt. Darüber steht: «Waiting for Mister Right!»

«Frecher Kerl!» Cyril grinst. Ich habe für alle Zuni-Fetische gekauft, geschnitzte Tierfiguren aus Stein, die bestimmte Bedeutungen für bestimmte Lebensphasen haben. Bären für die Gesundheit, Adler für den Weitblick und, im Moment die wichtigste von allen, die Schlange, die sich häutet, als Symbol der Veränderung.

Es ist so gemütlich, denke ich. Fast hätten wir vergessen, dass Weihnachten ist. Dann springt Katchie auf: «Der Farolito Walk hat schon begonnen!»

Fast hätten wir auch das vergessen. Wir packen uns dick ein, gehen nach draußen, ich verteile Hausschlüssel, für den Fall, dass wir uns verlieren. In meinem Hinterhofhäuschen waren wir so abgeschieden, dass uns die Masse draußen auf der Straße fast erschlägt. Beinahe sofort werden wir auseinandergerissen. Es ist tatsächlich die ganze Stadt hier – so fühlt es sich an. Jeder Laden, jede Galerie hat geöffnet. Überall wird etwas angeboten. Auf dem Trottoir brennen Feuer, an denen man sich wärmen kann. Da und dort finden sich improvisierte Chöre zusammen, die Weihnachtslieder singen. Die Passanten tragen blinkende Rentiergeweihe auf dem Kopf oder Samichlauskapuzen. Kinderwagen sind mit Leuchtschlangen dekoriert, und auch die Hunde tragen rote Samtmäntelchen. Schnell verliere ich Katchie aus den Augen, die mir später schreibt, sie sei nach Hause geflohen, es sei ihr zu viel. Ich lasse mich treiben, winke, wenn ich jemanden erkenne, esse einen Taco hier, trinke einen Becher Punsch dort. Doch auch mich überfordert die Masse bald, und ich ziehe mich in mein Haus zurück. Doch ich lasse die Tür zum Hof offen, so dass ich die Lichter sehe, die Stimmen höre, die Lieder, das Gelächter, hin und wieder eine Polizeisirene. Ich bin allein und doch nicht allein. Es ist alles da, direkt vor meiner Haustür. Ich muss nur die Hand ausstrecken. Aber gerade jetzt brauche ich nichts. Es ist alles da – auch hier, ganz allein in meiner Küche, wo ich die Gläser vom Nachmittag abwasche. So kann ich Weihnachten feiern, denke ich. Das geht auch, wenn sie nicht dabei sind. Es ist ja vollkommen klar, dass sie nicht jedes Jahr zu mir kommen können. Sie haben Väter, sie haben Freundinnen, diese Freundinnen haben Familien. Sie haben eigene Ideen, eigene Pläne. Weihnachten hier hat so wenig, eigentlich gar nichts mit Weihnachten dort zu tun, mit Weihnachten früher. Man kann es unmöglich miteinander vergleichen. Und genau darum ist es möglich. Ist es aushaltbar. Mehr als das, es ist schön. Es passt. Es passt zu dieser Phase meines Lebens. Die vielleicht auch nicht die letzte ist. Ich mache keine Pläne mehr.

Einer nach dem anderen kehren sie zurück. Reden durcheinander, erzählen, was sie gesehen, was sie erlebt haben.

Ich finde noch eine Pizza im Tiefkühlfach, schiebe sie in den Ofen. Keine Teller, nur Papierservietten. Und da sitzen wir und essen und lachen und reden durcheinander, bis der Jetlag sie wieder einholt. Cyril knüllt die Papierservietten zusammen und grinst mich schläfrig an.

«Mama», sagt er. «Das war das entspannteste Weihnachtsfest seit … immer!»

Milena Moser
bei Nagel & Kimche

Montagsmenschen

Roman. 400 Seiten, gebunden

ISBN 978-3-312-00496-6

Immer montags treffen sich vier Menschen zum Yoga-Kurs. Sie alle hoffen im Yoga einen Ruhepunkt für ihr ausser Kontrolle geratenes Leben zu finden. Eine von ihnen ist die Kursleiterin. Sie hat ihrem Körper immer alles abverlangt, und plötzlich erhält sie eine unheilvolle Diagnose. Spannend, mit Witz und großartiger Beobachtung verknüpft Milena Moser die Schicksale zu einem tragikomisch-furiosen Lebens- und Liebesdrama.

«Ein sehr ernster Roman, gerade weil er einen mit seiner Komik zwingt, die Dinge des Lebens gefälligst selbst in die Hand zu nehmen.»
Pieke Biermann, *Deutschlandradio Kultur*

Möchtegern

Roman. 464 Seiten, gebunden

ISBN 978-3-312-00452-2

Die bekannte Schriftstellerin Mimosa Mein verdingt sich als Jurorin einer Castingshow. Dort wird sie mit Menschen konfrontiert, die buchstäblich alles riskieren, um berühmt zu werden. Erschrocken wird ihr bewusst, wie viel von sich selbst sie in den Marotten und Problemen der Teilnehmer wiedererkennt. Ein mitreißender, witziger Roman über Schreiben und Ehrgeiz, Freundschaft und Verrat und die tückischen Zufälle des Lebens.

«Ein wunderbarer Roman für alle, die das Lesen und Schreiben lieben, einfühlsam, selbstironisch und spannend zugleich.»
Christiane Irrgang, *NDR Kultur*

Das wahre Leben

Roman. 320 Seiten, gebunden
ISBN 978-3-312-00576-5

Zwei Frauen in der Mitte ihres Lebens, beide in der Krise. Die eine ist Nevada – sie ist krank und lernt gerade damit umzugehen, da wird sie von der großen Liebe erwischt. Die andere, Erika, hat ihr Leben lang versucht, es allen recht zu machen. Plötzlich erträgt sie den Luxus nicht mehr und bricht mit allem, was ihr Dasein ausmacht. Mit Witz, Verve und voller Zuneigung lockt Moser ihre Figuren durch existentielle Höhen und Tiefen.

«Zart, einfühlsam und humorvoll ist Milena Mosers Blick auf zwei Frauen in mittleren Jahren, die nicht länger tun, was andere von ihnen erwarten.» *Brigitte*

High Noon im Mittelland

Die besten Kolumnen. 160 Seiten, gebunden
ISBN 978-3-312-00480-5

Zwei harte Typen stehen einander, durch eine Dorfstraße getrennt, bedrohlich gegenüber. Wüste Beschimpfungen fliegen hin und her, die Colts sitzen locker, von fern erklingt leise *Spiel mir das Lied vom Tod*. Bis eine Frauenstimme ruft: «Reinkommen! Es gibt Mittagessen!», und die kleinen Jungs nach Hause rennen. Milena Moser erzählt von hochfliegenden Ansprüchen, die an der nüchternen Fassade der Wirklichkeit zerpulvern.

«Eine entspannende Ladung Moser, die von sich selber erzählt, davon, wie sie unperfekt, aber zufrieden in einer Welt lebt, in der immer alles funktionieren muss.» Tania Kummer, *DRS 3*